PUGLIA IN TASCA
4

STEFANIA MOLA

CASTEL DEL MONTE

MARIO ADDA EDITORE

ISBN 9788880828198

Ristampa aggiornata
© Copyright 2009
Mario Adda Editore - via Tanzi, 59 - Bari
Tel. e Fax: +39 080 5539502
E-mail: addaeditore@addaeditore.it
www.addaeditore.it

Grafica: Castellani Studio Grafico - Bari
Fotografie: Nicola Amato e Sergio Leonardi

Sommario

Di fronte ad una richiesta sempre più pressante di beni e servizi legati alla cultura, il Ministero per i Beni e le Attività Culturali (e le Soprintendenze che lo rappresentano nelle più limitate aree territoriali) sta da tempo adottando una politica tesa a migliorare qualitativamente e quantitativamente le aspettative dei flussi turistici che, in Puglia, continuano a dimostrare un interesse crescente nei confronti del circuito dei castelli, e specialmente nei confronti di Castel del Monte.

Il primo servizio doveroso rispetto a questi flussi, eterogenei per provenienza, formazione e motivazioni personali legate al viaggio, è quello di guidarli lungo il loro percorso attraverso strumenti culturali idonei che riescano a conservare la memoria dei luoghi e delle suggestioni anche al di là della visita vera e propria. È quello che intende proporre questo agile volume edito da Mario Adda, dedicando a Castel del Monte la quarta uscita all'interno della collana "Puglia in tasca".

Il formato maneggevole e l'articolazione dei contenuti indicano come esso sia pensato soprattutto per diventare un prezioso compagno di viaggio del turista curioso ed attento, che dedicherà il suo tempo alla visita dell'edificio non tralasciando di informarsi su tutta una serie di notizie correlate attraverso le quali si cerca di fornirgli una prospettiva a 360 gradi aperta su Federico II e la sua epoca. All'insegna della massima correttezza scientifica, diventa possibile offrire uno strumento di informazione e di sintesi che dia spazio anche alla curiosità, alla divagazione e, perché no, anche a quelle teorie e a quelle tradizioni divulgative che hanno reso Castel del Monte così fortemente d'impatto sul grande pubblico.

Da Federico II al centesimo di euro, l'importante è che l'immagine di Castel del Monte continui a viaggiare nell'immaginario collettivo rafforzando sempre di più il suo ruolo di patrimonio dell'umanità, conferitogli ufficialmente dall'UNESCO nel 1996.

Gian Marco Jacobitti
Soprintendente ai Beni Architettonici e Ambientali della Puglia

Universalmente noto per la sua inconfondibile forma ottagonale, per le suggestioni astronomiche e per essere – a detta di molti – il più misterioso tra gli edifici commissionati da Federico II di Svevia, Castel del Monte costituisce una delle principali mete turistiche della Puglia. Un castello dove forse l'imperatore non soggiornò mai ma dove paradossalmente l'immaginario collettivo ne avverte più che altrove la presenza incombente.

Quando e perché è stato costruito? Perché su quella collina? Era davvero privo di difese? Come valutare un as-sai poco noto documento che assicura che il castello esisteva già in età normanna, prima ancora che Federico II nascesse? Si tratta di una notizia falsa o è possibile che ci fosse in zona una precedente fortificazione normanna? Questioni e domande aperte su cui gli storici ridiscutono proprio in tempi recenti documenti alla mano, lasciando da parte i misteri o i presunti enigmi da svelare.

Come scrive lo storico Raffaele Licinio, "allo stato at-

Castel del Monte, veduta panoramica

Federico in maestà (part. dell'illustrazione di p. 76), dal De arte venandi cum avibus

tuale della documentazione (scritta e materiale), ogni interpretazione di ruolo, funzioni e date di Castel del Monte, in particolare per l'età sveva, è plausibile, ma non per questo accettabile". Pur nel rispetto di ogni divulgazione magico-esoterica, del Medioevo neotemplare, e degli illusori richiami alle piramidi, ai percorsi

iniziatici, al Santo Graal, questa guida vuole semplicemente accompagnare il visitatore curioso nel suo viaggio. Sarà lui a scegliere come dosare la sua personale percezione dell'edificio, quanto farsi stregare da questa esperienza e cosa recuperare dell'originaria identità di Castel del Monte: che è prima di tutto un castello medievale, dalle funzioni polivalenti, da leggere all'interno dell'organico sistema castellare realizzato da Federico II di Svevia per governare il territorio, e da analizzare nei suoi rapporti con i principali castelli della zona, Barletta, Canosa, Trani, ma anche Andria, Ruvo, Corato, Terlizzi, Bari, Gravina.

D'altronde, come *castrum* viene definito dallo stesso Federico II nel famoso documento del 1240 che lo riguarda, quindi come struttura fortificata inseribile nella rete di castelli voluti dall'imperatore per un più efficace e capillare controllo del territorio, pur con tutte le accessorie funzioni residenziali, rappresentative e simboliche che lo avvici-

Esterno, torri
Fronte principale

nano maggiormente ad edifici di tipo diverso.

E se la sua valenza simbolica assume un rilievo speciale grazie alla sua particolarissima forma (che ricorda la corona imperiale), è pur vero che le fonti non indugiano più di tanto sull'identità castellare da più parti negata. Così come apprendiamo dai documenti che nel luglio del 1246, ancora vivente Federico II, ci dicono che l'edificio è utilizzato per imprigionare un signore ribelle e, quindi, possiede una guarnigione, dei carcerieri, dunque è abitato, in barba a tutte le moderne illazioni che lo immaginano privo di cucine, stalle, e sistemi difensivi.

In un'altra fonte di epoca sveva, lo *Statutum de reparatione castrorum*, Castel del Monte è menzionato ancora una volta come *castrum* ed è soggetto alla manutenzione da parte degli abitanti di Monopoli, Bitetto e Bitonto esattamente come accadeva per gli altri castelli pugliesi. Nei decenni successivi viene ancora utilizzato come prigione ed in generale come strumento di potere nelle mani dei diversi regnanti e signori dell'epoca, sottoposto ad assedi, preso a cannonate, quindi, evidentemente, è ben fortificato e perfettamente difendibile, più che idoneo ad un'attiva partecipazione alla storia della sua terra.

Posto sulla strada che collegava Andria al Garagnone ed a Gravina, a pochi passi dalla via Traiana ed in rapporto con un territorio in quel tempo densamente disseminato di cellule produttive, torri e vedette rurali, Castel del Monte, circondato da una murazione che lo rendeva ben protetto, è stato costruito in quel luogo per chiudere una maglia del sistema castellare federiciano. E, in base a recenti acquisizioni dello stesso Licinio (2001), potrebbe aver occupato l'area di una preesistente fortificazione normanna, come sembrerebbe testimoniare un documento poco noto di età angioina.

Falconieri, *dal* De arte venandi cum avibus

Il 29 gennaio 1240, da Gubbio, l'imperatore Federico II firma un decreto diretto a Riccardo di Montefuscolo, giustiziere di Capitanata, in cui ordina di predisporre il materiale necessario alla costruzione di un castello situato presso la chiesa (oggi scomparsa) di *Sancta Maria de Monte*. Nonostante i pareri discordi degli studiosi, la costruzione doveva essere giunta già alle coperture, ed essere quindi vicina al completamento.

In effetti altre fonti informano che nel 1246 Manfredi, figlio di Federico, imprigionò nel castello alcuni sudditi ribelli, e che nel 1249 vi si svolsero i festeggiamenti per le nozze di Violante, figlia naturale dell'imperatore, con Riccardo conte di Caserta. In un manuale di navigazione composto intorno al 1250, noto come *Compasso de navigare*, viene citata "una montagna longa enfra terra et alta, e la dicta montagna se clama lo Monte de Sancta Maria, e à en quello monte uno castello", come se l'edificio, visibile nel tratto costiero tra Trani e Barletta, fosse un punto di riferimento ormai acquisito dal-

Veduta aerea

Busto ritratto di Federico II (Barletta, Museo Civico)

incoronato re delle due Sicilie a Barletta. Il nome attuale del castello compare poco più tardi in un decreto dello stesso re, emesso da Altamura.

Annesso al ducato di Andria, appartenne a Consalvo da Cordova e, dal 1552, ai Carafa conti di Ruvo. Fu rifugio per molte nobili famiglie andriesi durante la pestilenza del 1656. Fin dal secolo XVIII, rimasto incustodito, fu sistematicamente devastato, spogliato dei marmi e degli arredi, e divenne ricovero per pastori, briganti, profughi politici.

Nel 1876, prima che sopravvenisse la definitiva rovina, il castello venne acquistato dallo Stato italiano per la cifra di lire 25.000, davvero irrisoria se si pensa che i primi necessari interventi di recupero richiesero praticamente una cifra identica. I lavori di restauro ripresero con continuità e cautela scientifica dal 1928 in poi, fino ad arrivare ai recentissimi ultimi interventi degli anni Ottanta.

Per le sue caratteristiche di unicità l'UNESCO l'ha inserito, nel 1996, nel patrimonio mondiale dell'umanità.

la navigazione. In ogni caso dopo il 1268, alla caduta degli Svevi, Carlo I d'Angiò vi avrebbe imprigionato Federico, Enrico ed Enzo, figli di Manfredi. Inoltre, con gli interventi da lui promossi a partire dal 1277, viene rafforzata la funzione di avvistamento e controllo del territorio che già il castello svolgeva in età sveva: il segno e la funzione di Castel del Monte come elemento di un sistema di comunicazione anche visiva vengono dunque confermati e potenziati.

Salvo brevi periodi di feste (nozze tra Beatrice d'Angiò e Bertrando del Balzo nel 1308, e tra Umberto de la Tour, delfino di Francia, e Maria del Balzo nel 1326), il castello rimase per lo più adibito a carcere. Nel 1495 vi soggiornò Ferdinando d'Aragona, prima di essere

CARATTERISTICHE GENERALI

Part. di uno dei leoni del portale

Come è noto, la struttura del castello consiste fondamentalmente in un monumentale blocco di forma ottagonale, ai cui otto spigoli si appoggiano altrettante torri della stessa forma. La distribuzione dello spazio interno si articola su due piani, ognuno dei quali presenta otto stanze di forma trapezoidale raccolte intorno ad un cortile (ovviamente ottagonale). Il prospetto principale, sul lato est, è dominato da un maestoso portale cui si accede da due rampe di scale simmetriche. Il cortile, compatto e severo, che ripete nella

Portale principale

forma ottagonale l'impostazione di tutto l'edificio, alleggerisce la sua massa muraria solo in corrispondenza dei tre portali di comunicazione con le sale del piano terra, e delle tre porte finestre corrispondenti ad altrettante sale del piano superiore.

I COLORI DEL CASTELLO

Tre sono i materiali da costruzione utilizzati nel castello; la loro combinazione e la loro distribuzione nell'edificio non è casuale ed ha un ruolo importante nella nostra percezione cromatica. Prima di tutto la **pietra calcarea** locale, bianca o rosata a seconda dei momenti del giorno e delle situazioni meteorologiche,

preponderante perché interessa le strutture architettoniche nel loro insieme ed alcuni particolari decorativi; il **marmo**, bianco o leggermente venato, oggi superstite nelle preziose finestre del primo piano e nella decorazione delle sale, ma che in origine doveva costituire gran parte dell'arredo del castello; infine la **breccia corallina**, nota di colore usata nella decorazione delle sale al piano terra e nelle rifiniture di porte e finestre, interne ed esterne, oltre che nel portale principale; un effetto prezioso e vivace reso da un conglomerato di terra rossa e calcare cementati con argilla ancora reperibile in cave presenti nel territorio circostante.

In origine il ruolo giocato dal colore doveva essere ancora più deciso: tutti gli ambienti dovevano essere rivestiti di lastre (in breccia rossa – "colore imperiale" per eccellenza – al piano terra, marmoree a quello superiore); la breccia dava risalto cromatico ai camini, agli stipi, ai profili di porte e finestre, il mosaico illuminava non solo la pavimentazione ma anche le volte delle

stanze. Forse una decorazione dipinta impreziosiva le pareti degli ambienti al primo piano.

Oggi capita di frequente di stupirsi per il senso di vuoto e di "assenza", e tuttavia le poche tracce superstiti testimoniano ancora di quella straordinaria ricchezza, nella quale il colore giocava un ruolo fondamentale nel quale tutto l'insieme rifletteva il gusto per la "bella materia" mutuato dalla tradizione romana.

Tra i pochi fastosi relitti di questo universo cromatico, oltre ai materiali da costruzione già citati ci restano oggi scarsi resti della pavimentazione musiva (nell'ottava sala del pianterreno) costituita da motivi geometrici in marmo bianco e ardesia (ma i rinvenimenti del primo Novecento registrano anche intarsi di "serpentini e porfidi e verdi antichi", pasta vitrea e ceramica smaltata).

Dettaglio di una finestra sul cortile (marmo e breccia corallina)

Dettaglio del paramento murario del cortile (pietra calcarea)

L'ESTERNO

Una cornice marcapiano cinge l'intera costruzione segnando la presenza dei due piani dell'edificio, divisi ognuno in otto sale corrispondenti agli otto lati dell'ottagono. Ogni parete del castello compresa tra due torri presenta due finestre in asse tra loro; si tratta di una monofora a tutto sesto in corrispondenza del piano inferiore (tranne che nei due lati opposti est ed ovest, occupati rispettivamente dal portale principale e dall'ingresso di servizio), e di una bifora al piano superiore (tranne che nel lato nord, quello in direzione di Andria, dove troviamo una trifora). Queste finestre costituiscono l'elemento che spezza la compattezza e la massa delle pareti. Verso l'interno la strombatura è così profonda che l'apertura raddoppia sia in larghezza che in altezza rispetto all'esterno.

Il bordo esterno di ogni **bifora**, riquadrato da cornice ricavata nel muro, è costi-

Esterno, veduta e particolare

tuito da uno stretto listello di marmo bianco. Colonne, capitelli e archivolti al di sopra della strombatura sono di breccia corallina. I pilastri che sporgono dal di dietro, diversamente dai capitelli in breccia, sono di marmo bianco come le lunette; queste ultime sono caratterizzate da un rosoncino costituito da quattro aperture rotonde disposte intorno ad un oculo colorato. Al di sotto, riconosciamo la doppia apertura trilobata della finestra. Mancano tutte le colonnine centrali che dovevano essere di marmo pregiato; esse, nella seconda

metà del XVIII secolo, furono portate a Caserta per abbellire il parco retrostante il palazzo reale fatto costruire da Carlo III re di Napoli ad opera di Luigi Vanvitelli.

Sulle **torri** si aprono numerose strette feritoie, variamente disposte e profondamente strombate, che danno luce alle scale a chiocciola interne, ai servizi ed ai vani delle torri stesse. Davanti alla torre 1 (**T1**), a destra dell'ingresso, vi era l'imboccatura di una cisterna alimentata dalle acque spioventi dal terrazzo. Tra le torri 2 e 3 (**T2** e **T3**), sul ver-

sante settentrionale in direzione di Andria, si apre l'unica **finestra trifora**, ad archetti trilobi, sormontata da una piccola bifora invece che dal rosoncino, e racchiusa da una cornice archiacuta.

Come ci riferisce un'antica tradizione, questa variazione sul tema nella direzione di Andria vuole sottolineare il ruolo di questa città, cui Federico aveva conferito il titolo di fidelis, *e nella quale, nella cripta del duomo, erano state sepolte due mogli dell'imperatore, Jolanda di Brienne e Isabella d'Inghilterra.*

Sul lato ovest, quello opposto all'ingresso principale, troviamo l'**accesso secondario**, costituito da un semplice profilo archiacuto, senza alcuna decorazione. Un particolare degno di nota riguarda la bifora sulla parete sud-est, tra le torri 7 ed 8 (**T7** e **T8**): essa infatti conserva – nell'oculo a destra

rispetto alle luci lobate – l'unica tessera di mosaico superstite (di colore verde) delle decorazioni policrome delle finestre.

Ritorniamo al fronte principale del castello, dove due rampe di scale simmetriche tra loro, e ricostruite nel 1928, salgono verso il **portale principale** in breccia corallina, che si apre sul lato orientale dell'edificio. Pilastri esili e scanalati, con capitelli corinzi, sorreggono un finto architrave sagomato nella parte inferiore da modiglioni, su cui si imposta un timpano cuspidato all'interno del quale, secondo alcune testimonianze d'epoca, campeggiavano in origine le immagini scolpite della famiglia imperiale e della corte, secondo una sapiente coreografia celebrativa assai inconsueta per un castello: tutti elementi costitutivi che indubbiamente risentono di fonti di ispirazione classica.

L'apertura esterna dell'arco del portale presenta colonnine con capitelli sormontati da leoni, all'altezza dell'imposta dell'arco. L'impostazione classica dello sche-

ma va a fondersi con un'impronta decisamente gotica che si ravvisa nello slancio dell'insieme, nell'aggetto delle cornici, nell'intaglio profondo dell'ornato. Emerge una ricerca di armonia tra l'antico e il nuovo che recupera però anche le migliori espressioni del romanico pugliese e le forme artistiche mutuate dagli ambienti cistercensi. Tra la parte esterna e quella interna del vano d'accesso si situa l'intercapedine funzionale allo scorrimento della saracinesca che era manovrata dalla sala I del piano superiore.

Castel del Monte in un'incisione del XIX secolo

INTERNO, PIANO TERRA

Visitiamo ora il **piano terra**, che comprende otto sale trapezoidali tutte di dimensioni simili, ma caratterizzate da una sottile gerarchia a seconda del modo in cui comunicano tra loro o con il cortile interno. Generalmente si possono individuare delle **sale terminali**, dotate di alcuni conforts ed accessori, e delle **sale di disimpegno o di servizio**, dotate di percorsi autonomi rispetto ad esse.

Il problema della **copertura** delle stanze trapezoidali è risolto in modo impeccabile: il trapezio è scomposto in un quadrato centrale, il cui lato corrisponde alla parete della sala verso il cortile, e due triangoli laterali; la parte centrale quadrata è voltata a crociera costolonata, i due triangoli da semibotti ad ogiva. L'uso dei **costoloni**, già diffuso in Francia da molto tempo, è una novità in Puglia a quest'epoca: ma qui, sia negli ambienti del piano terra che in quelli del piano superiore, essi non hanno alcuna funzione statica; il loro scopo decorativo è sottolineato invece dalla presenza di una chiave di volta figurata, diversa in ogni sala.

Ancora: la pianta del vano quadrato centrale viene messa ancor più in risalto dalle quattro potenti **semicolonne** che la delimitano lateralmente, le quali, come i rispettivi capitelli ornati da foglie ad apice ricurvo, le cornici delle finestre a tutto sesto, gli oculi e le soglie tra una sala e l'altra, sono tutte in breccia corallina. L'abaco dei capitelli corre su tutta la parete, riquadrando porte e finestre, e mettendo in risalto la linea d'imposta della copertura; fino a questo livello, in origine, le pareti dovevano essere anch'esse ricoperte di breccia. Inoltre, in origine la pianta quadrata della parte centrale della sala doveva essere esaltata anche dalla superficie del pavimento ad essa corrispondente, compresa in una cornice quadrata di listelli di marmo bianco; questa situazione è tuttora parzialmente visibile nella sala VIII.

Entriamo dunque nella SALA I. Oggi adibita a biglietteria,

costituisce insieme alla sala II una sorta di vestibolo. Verso il cortile si noti l'oculo fortemente strombato, e al centro della copertura la **chiave di volta** ad ornamentazione vegetale come quelle presenti nelle sale II, IV e VI. Nell'angolo a destra

Piano terra: sala IV

dettaglio di un capitello in breccia corallina

del portale dietro la semicolonna, si osservi una porta a sesto acuto, dietro la quale c'è un corridoio che piega a destra e che conduce nell'attiguo vano ottagonale della **T1**, dotato di volta a cupola suddivisa da otto costoloni pensili.

La porta di accesso alla SALA II è l'unico passaggio in posizione centrale, mentre tutti gli altri del piano terra, come vedremo, sono fortemente spostati sulla destra o sulla sinistra. Siamo ora in una sala decisamente di passaggio, priva di comunicazione con altre sale o con le torri; l'unico sbocco obbligato è il cortile interno, comunicante grazie ad un **portale** in breccia corallina, assai simile a quello che potremmo trovare in un'abbazia cistercense, con arco leggermente acuto su colonnine. Si noti la sontuosa esecuzione del prospetto interno, riccamente articolato, con strombatura ripetutamente a risega, colonne sistemate da ambo i lati, e cornici differentemente profilate. Prima di lasciare la sala, si

Piano terra:
portale della sala II
comunicante con il cortile

chiave di volta floreale
di una delle sale

noti anche qui la **chiave di volta**, analoga per tipo a quella delle sale I, IV e VI.

Siamo ora nel **cortile**, che è di forma ottagonale nel rispetto della pianta ottagona dell'edificio. Voltandoci nella direzione da cui siamo venuti, noteremo che il prospetto esterno del portale, in contrasto con l'apparecchiatura monumentale dell'interno, presenta un'impostazione assai sobria. Avremo modo di notare durante tutto il percorso le differenze tra prospetti e retroprospetti delle varie porte, che stabiliscono una sottile ma eloquente gerarchia nei percorsi interni e nella possibile destinazione delle varie stanze. Non a caso ciò che deve colpire l'ospite è quello che gli si trova davanti, mentre ci si curerà di meno di ciò che si lascia alle spalle.

Ogni parete del cortile, nuda ed alta tanto da suggerire l'impressione di trovarsi sul fondo di un grande pozzo, termina in alto con un'arcata cieca a sesto acuto impostata su paraste angolari; l'alleggerimento delle masse murarie e della loro

Il cielo visto dal cortile del castello

compattezza è dato dalle porte e dalle finestre che vi si aprono, di varia forma e senza una precisa distribuzione, secondo le esigenze dell'interno. Oltre quello della sala II, sono presenti altri due **ingressi** in corrispondenza della sala IV (a destra della II) e della sala VII (di fronte a sinistra), monumentali nel loro prospetto esterno, che determinano una duplice possibilità nella scelta dei percorsi da seguire. Al livello superiore si aprono tre **porte finestre** in breccia corallina, con

architrave su mensole, incorniciate da due colonnine che reggono un archivolto ornato a fogliami ed ovoli. Si può a buona ragione pensare che in origine queste porte finestre – e dunque le relative sale – comunicassero tra loro mediante un percorso pensile in legno che correva su tutto il perimetro del cortile.

Le tre finestre sono in apparenza simili tra loro per altezza, struttura e decora-

Il cortile visto da est

zione: riquadrate da una cornice rettangolare, presentano un'arcata a tutto sesto ornata da foglie d'acanto ad apice ricurvo, comprendente una lunetta con oculo centrale che poggia su un robusto architrave sostenuto da pilastri. A questi ultimi si associano esili e slanciate colonne su cui poggia un falso architrave e la cornice esterna a tutto sesto. Quanto ai motivi decorativi, nella finestra situata in corrispondenza della sala IV troviamo un festone di foglie d'alloro; per quella sul lato della sala VI si tratta di ovoli e fusarole; infine, nella porta finestra corrispondente alla I sala, ancora gli ovoli tanto prediletti nell'antichità.

La tradizione vuole che in origine al centro del cortile si trovasse una vasca di marmo anch'essa ottagonale; leggenda e mistero hanno voluto vedere in essa un simbolo nel simbolo, attribuendole un riferimento

Il cortile visto dalla sala VIII del piano superiore

Una delle porte finestre che si affacciano sul cortile

alla coppa del Graal in cui, secondo la tradizione cavalleresca medioevale, sarebbe stato raccolto il sangue di Cristo; in esso veniva sintetizzata l'idea di sovranità e perfezione, perseguite attraverso la ricerca e la conoscenza. Sulle dimensioni di questa presunta vasca si pronuncia un'altra leg-

genda, secondo la quale l'architetto del castello vi sarebbe annegato. In realtà di essa non risulta traccia alcuna, come i recenti restauri hanno appurato. Parte del cortile poggia direttamente sulla roccia, mentre parte della zona centrale è occupata da una cisterna sotterranea.

Prima di proseguire la visita delle altre sale del piano terra, diamo un'occhiata al **rilievo frammentario** raffigurante un cavaliere, posto al

di sopra dell'ingresso alla sala IV; per quanto mutilo e di difficile lettura, evoca fortemente modelli antichi suggerendo a qualcuno la possibilità che possa trattarsi della rappresentazione "eroica" dello stesso Federico. Un altro **bassorilievo** frammentario è visibile in corrispondenza della sala II da cui siamo usciti, nella parte

alta della parete a sinistra dell'arcata cieca su lesene: si tratta di un corteo o di una scena di caccia, in cui si riconoscono a malapena poche figure (un uomo a cavallo, una donna, alcuni guerrieri) che rimanderebbero però ad un'opera classica, di gusto ellenistico; per lungo tempo si è pensato alla rappresentazione della *Caccia di Meleagro*, soggetto frequentemente rappresentato su sarcofagi antichi, in linea con gli interessi di un imperatore ricordato anche come collezionista ed antiquario. Infine, sulla parete contigua a sinistra, all'altezza del ballatoio, troviamo un'**iscrizione** incisa nei conci, di difficile interpretazione e datata 1566, riferibile probabilmente ad un personaggio della famiglia Carafa, in quei tempi proprietaria del castello. Una seconda iscrizione con la stessa data si trova in corrispondenza della sala VI, a poca altezza da terra.

Ci dirigiamo dunque verso il portale che dà accesso alla sala IV del piano terra, dove abbiamo già visto il torso di cavaliere ignudo; volgiamo

sulla destra per ritrovarci nella **SALA III**, oggi utilizzata come bookshop, in cui avremo modo di osservare quelle comodità che fanno di un castello un luogo piacevole per la sosta. Questa sala può essere considerata una *sala terminale* per vari motivi: innanzitutto, al pari della sala VIII dello stesso piano terra, qui ogni percorso si

Dettagli del cortile:
il rilievo frammentario collocato sull'ingresso alla sala IV

il bassorilievo con scena di caccia

le due iscrizioni datate 1566
Accanto:
Piano terra, sala III

arresta, poiché la stanza non comunica con le altre. Comunica invece con la **T2** e con la sua cameretta ottagonale coperta da volta a costoloni pensili, uguale a quelle presenti nelle T1, T4 e T8. Questa torre ospita anche locali provvisti di servizi igienici, con volta a doppia crociera, e sistema di aerazione e scolo (al pari delle T6 e T8 che servono rispettivamente la sala VI e la sala VIII).

Si entra nel corridoio della torre; a destra vi è uno stretto passaggio, coperto da doppia crociera costolonata divisa da archivolto, al termine del quale si inserisce verso destra un vestibolo quadrato; dietro ad esso si trova, elevato di un gradino, il bagno. Due aperture simili a feritoie, l'una vicina al pavimento, l'altra all'altezza della linea d'imposta della volta, sono funzionali alla circolazione dell'aria. Questi servizi sono inoltre dotati di lavabo e nicchia per poggiare la lanterna.

Ritornati nella sala, si noterà che l'allestimento è completato dal lato verso corte da

Piano terra, sala IV

un alto **camino** – la cui cappa non si è conservata – posto tra due strette monofore. Al centro del soffitto, una bella **chiave di volta** raffigurante un fiore. Proseguiamo verso la Sala IV, da cui eravamo entrati; come nella I, II e VI sala, i costoloni della volta terminano con una **chiave** a decorazione vegetale. La sala comunica con la **T3**, grazie alla quale si accede al piano superiore.

La successiva tappa è la Sala V: ci troviamo in una sala di servizio o di disimpegno (ricordiamo il **portone secondario** verso l'esterno) che comunica a destra con la **T4** – dotata di camerina ottagonale come la T1, la T2 e la T8 – e a sinistra con la **T5**, munita di scala a chiocciola che sale fino al terrazzo (ben cento scalini!) fermandosi però anche al piano superiore, al pari della T3 e della T7. Oltre ad essere l'unica scala praticabile fino al terrazzo senza interruzione, essa presenta un'altra singolarità: giunti all'altezza del piano superiore, oltre al passaggio diretto verso la sala V, esiste un altro pas-

saggio spostato verso sinistra che permette di proseguire fino al tetto senza passare per la sala.

Noi proseguiamo però con la visita al piano terra, passando alla Sala VI, che comunica con la **T6** provvista di vano ottagonale ed attigui servizi come la T2 comunicante con la sala III. Uno sguardo anche alla **chiave di volta** a motivi vegeto-floreali, analoga per tematica a quelle delle sale I, II e IV.

La successiva Sala VII è una stanza di passaggio, come testimoniano l'assenza di comunicazioni con le torri ed il passaggio al cortile mediante un **portale** archiacuto, disadorno nel prospetto interno, ma ricco su quello verso corte, sottolineato da una cornice a capanna. Come nel caso del portale di accesso alla sala IV dal cortile, nella struttura di questo ingresso le forme plastico-architettoniche del romanico pugliese si legano ad elementi visibilmente gotici. Ed anche con questo portale ci troviamo di fronte alla situazione contraria rispetto a quella del caso della sala II, in cui l'ingresso era riccamente strutturato sul prospetto interno quanto era disadorno su quello esterno. Degni di nota in questa sala sono anche i bei **capitelli** a grosse foglie d'acanto, e la **chiave di volta**, diversa per soggetto da tutte le altre riscontrate al piano terra: vi è rappresentata infatti una testa di fauno, con orecchie appuntite e sporgenti, incorniciato da uva e pampini, ulteriore prova dell'ispirazione a modelli antichi riscontrabile negli intenti programmatici dell'arte federiciana.

Ultima tappa del nostro percorso al piano terra è la SALA VIII, *sala terminale* al pari della sala III, e come quest'ultima provvista di **camino**, la cui cappa non si è conservata. Comunica a destra con la **T7**, con scala a chiocciola diretta al piano superiore come la T3 e la T5, e a sinistra con la **T8**, provvista di cameretta ottagonale e servizi igienici come la T2 della sala III e la T6 della sala VI. In questo ambiente è possibile osservare, contro la parete di fondo, i resti del **pavimento** originario del castello, a tarsie geometriche in marmo bianco e ardesia, che doveva estendersi anche alle altre sale.

A questo punto si potrebbe accedere al piano superiore dell'edificio attraverso la scala della T7, ma per comodità ed ordine di percorso ci dirigiamo nuovamente nella sala VII e di qui nel cortile,

Piano terra: resti di mosaico pavimentale nella sala VIII

chiave di volta della sala VII, raffigurante un fauno dalle grandi orecchie

per entrare nella sala IV attraverso l'ingresso alla nostra sinistra, e successivamente prendere la scala a chiocciola della T3 accessibile da questa stessa sala.

Percorriamo la scala arrestandoci sul pianerottolo; in alto si riconosce la singolare volta tripartita i cui costoloni poggiano su mensole antropomorfe, una delle quali ormai illeggibile. Delle altre due, la figura femminile ha il volto incorniciato da chiome fluenti e deformato da una risata piena ed incontenibile; quella maschile, meglio conservata nella sua forza espressiva, ha il volto lambito da riccioli da cui spuntano orecchi d'asino, ed uno sguardo profondo ed inquietante, forse una riproposizione del motivo del fauno, che ricorre nella chiave di volta della sala VII al piano terra. Si noti ora la mancanza di uno dei tre spicchi della volta, oltre il quale trova posto un ambiente completamente buio comunicante con il terrazzo. È stato ipotizzato, anche per spiegare il nome di **Torre del Falconiere** che la tradizione attribuisce alla T3, che

questo fosse il vano buio ed isolato che veniva richiesto come nido artificiale per allevare i giovani falconi; una volta addomesticati, essi

diventavano i protagonisti del passatempo preferito da Federico, la caccia (all'imperatore si attribuisce il famoso trattato di falconeria *De arte venandi cum avibus*). Questo vano, rispondente nei suoi requisiti alle prescrizioni illustrate nel trattato, doveva essere accessibile dal pianerottolo per mezzo di una scaletta mobile. Da

qui per il falconiere era possibile accedere direttamente al terrazzo per l'addestramento, o all'esterno, scendendo al piano terra e attra-

Torre 3 (del Falconiere), mensole figurate della copertura

versando solo la sala IV, per giungere all'ingresso secondario del castello, sito nella sala V.

La scala approda alla sala IV del primo piano da cui, volgendo alla nostra sinistra, passeremo alla III e successivamente alla II per iniziare coerentemente la visita del **piano superiore**.

INTERNO, PIANO SUPERIORE

La struttura e la distribuzione degli ambienti ricalca quella del piano terra, ma esprime maggiore raffinatezza nei particolari decorativi e nell'architettura d'insieme. I **costoloni** che sorreggono le volte sono più sottili e slanciati, e si dipartono da **colonnine tristili** in marmo riunite a fascio da un unico **capitello** decorato elegantemente a motivi vegetali. Sul versante che dà all'esterno, ogni sala è vivacemente illuminata da una **bifora** di chiaro sapore gotico (una trifora, già osservata all'esterno, è presente nella sala III, sul versante settentrionale del castello); caratteristica di queste grandi finestre è il fatto di essere rialzate da gradini e fiancheggiate da sedili. Sul versante del cortile si alternano, a seconda delle sale, **porte finestre** (già osservate dal cortile) e monofore a

tutto sesto. Lungo le pareti di ogni sala corre un sedile in marmo sotto la base delle colonne, e una cornice marcapiano all'imposta delle volte. In origine le pareti di queste sale dovevano essere rivestite interamente da grandi lastre di marmo; a darci una seppur vaga idea dello splendore primitivo, restano le lastre su cui appoggiano i capitelli i quali, per ovvi motivi, ne hanno impedito la rimozione.

L'asportazione del rivestimento delle pareti fu solo un capitolo della triste sequenza di spoliazioni perpetrate a Castel del Monte nel corso dei secoli e soprattutto nel Settecento.

Anche su questo piano alcune sale conservano alti camini, cui era affidato il riscaldamento degli ambienti. Da notare inoltre, nelle lunette dei muri divisori tra le sale, e in quelle verso l'esterno e verso il cortile, la riproposizione, in chiave decorativa, di una tecnica costruttiva tipicamente romana quale l'*opus reticulatum*: si tratta di una tessitura muraria ottenuta sistemando blocchetti quadrangolari in posizione diagonale, dal verso degli spigo-

li. Lo possiamo vedere alternato consecutivamente a tre file di blocchetti rettangolari disposti orizzontalmente.

Cominciamo ad osservare la

Piano superiore: sala del Trono

dettaglio di colonna tristile di una delle sale

Sala II dove ci troviamo: si tratta di una sala terminale comunicante per mezzo di due porticine con i vani superiori della **T1** e **T2** vol-

Raggiungiamo la **Sala III**, che può ritenersi di passaggio, dato che manca di comunicazioni con le torri. Sul lato verso l'esterno si

tramite una delle tre porte finestre, e all'esterno con la consueta finestra bifora.

La **Sala V** è in comunicazione con la **T4**, che è dotata di camerina e servizi analoghi a quelli già osservati al piano terra; anche qui si trova un **camino** con cappa non conservata.

La **Sala VI** si affaccia sul cortile interno mediante una porta finestra e all'esterno mediante la bifora; a destra di quest'ultima, un'alta porta archiacuta profilata in marmo dà adito alla scala a chiocciola della **T5** che sale fino al terrazzo; a sinistra vi è l'accesso alla **T6** nel cui camerino ottagonale con attigui servizi igienici sono state messe in luce le tracce delle condutture.

tati a padiglione. Verso l'esterno osserviamo la **bifora** ad archetti trilobi mancante della colonnina, completata da oculo con cerchi a traforo. Verso il cortile troviamo il **camino** dotato di alta cappa conica parzialmente conservata come nella sala VII dello stesso piano; da ambo i lati, due nicchie ripostiglio in breccia corallina. Da notare che i **capitelli** mancano di tutti i *crochets*, cioè dei boccioli terminali.

apre la grande finestra **trifora** sormontata da una piccola bifora (siamo sul versante settentrionale dell'edificio, dalla parte che guarda verso Andria). Sulla parete verso corte vi sono due monofore; sui capitelli si sono conservati due *crochets*.

Proseguiamo ancora verso la **Sala IV**, nella quale eravamo giunti risalendo la **T3**, con cui infatti comunica; questa sala si affaccia sul cortile interno

Proseguiamo entrando nella **Sala VII**, dotata di **camino** con cappa conservata solo parzialmente (si veda la sala II su questo stesso piano); eleganti **capitelli** a foglie

Piano superiore:
dettaglio di capitello in marmo di una delle sale

il camino della sala II

d'acanto ornano i fasci tristili, mentre al centro del soffitto si può osservare la **chiave di volta** decorata da quattro testine umane.

Nella SALA VIII la **chiave di volta** raffigura invece quattro uccelli annodati, le cui ali hanno terminazione appuntita, mentre ogni coda si annoda su se stessa ed ognuno di essi morde la punta dell'ala della figura antistante. Da questa sala è possibile accedere alla **T7**, con scala a chiocciola proveniente dalla sala VIII del piano terra. Sul pianerottolo alziamo lo sguardo per notare la bella copertura esapartita della volta: essa è retta

da sei robusti costoloni impostati su mensole rette da **telamoni**, figure maschili nude differenti tra loro per espressione e atteggiamento, aventi in comune solo la posizione rannicchiata, tutta concentrata a rendere l'idea dello sforzo e dell'impegno nel sostenere il peso che su di essi si scarica. Qualcuno ha suggestivamente voluto vedere in queste raffigurazioni l'altra faccia della cultura dell'epoca:

Piano superiore:
chiave di volta della sala VIII

mensole della torre 7

copertura esapartita della torre 7

Particolare di una delle torri all'altezza del terrazzo

me fauno, ora come astrologo, mago o anche filosofo. Nella **T8** comunicante con questa sala c'è una scala che sale fino al terrazzo, oggi però impraticabile.

Per accedere al **terrazzo** torneremo invece sui nostri passi fino alla sala VI, e da qui vi giungeremo attraverso la **T5** (*accessibile solo con autorizzazione*), quella che complessivamente conta cento scalini. La prima cosa che non si può fare a meno di sottolineare è il mirabile panorama che si gode da questo punto di osservazione certamente privilegiato. La vista può spaziare dalle Murge al Tavoliere fino al Gargano ed al Vulture, lasciando spazio, nelle giornate più limpide, anche alle città della Terra di Bari. La copertura del terrazzo è stata rifatta durante gli ultimi lavori di restauro: essa consta di doppio spiovente, di cui quello interno, per mezzo di tubi di piombo incassati nella muratura, finalizzato a convogliare le acque alla cisterna della corte, e quello esterno alle condutture dei servizi delle torri.

da un lato quella aulica, fatta di rivisitazioni e reinterpretazioni dell'antico, dall'altro quella popolare, fatta di gesti e atteggiamenti di stampo non propriamente regale, e forse per questo relegata nella semioscurità di questa torre, dove l'occhio attento deve cercare se vuole osservare.

Con la **Sala I** (convenzionalmente così designata per rispettare le corrispondenze con il piano terra) termina la nostra visita: ci troviamo in quella che la tradizione chiama comunemente **Sala del Trono**, posta sul lato orientale dell'edificio, al di sopra dell'ingresso principale. Verso il cortile si affaccia con l'ultima delle tre porte finestre; verso l'esterno la consueta bifora è qui caratterizzata da un vano più ampio. Ai lati di essa osserviamo due nicchie atte alla manovra della saracinesca del portale principale. La **chiave di volta** al centro del soffitto raffigura un volto umano interpretato ora co-

FEDERICO II:
LA STORIA E IL MITO

Federico II nacque a Iesi il 26 dicembre del 1194 da Enrico VI Hohenstaufen e da Costanza d'Altavilla. Quasi un segno del destino, per un imperatore che si considerò secondo solo a Cristo, nascere il giorno dopo Natale; l'immaginazione popolare del tempo ne fu oltremodo colpita, avvezza com'era a scrutare accigliata i segni augurali e a subire rassegnata i risvolti oscuri delle leggende. D'altra parte l'evento fu preceduto da ottimi auspici: lo spirito profetico del Medioevo, nella persona di Pietro da Eboli, annunciava con la nascita del *votivus puer* il ritorno dell'età dell'oro, riprendendo niente meno che i temi della quarta egloga di Virgilio (unanimemente riferiti all'avvento di Cristo), nonché quelli del profeta Isaia, laddove si parla della venuta del principe della pace, della rinnovata fecondità della terra e della concordia tra gli animali. In un'imbarazzante commistione tra sacro e profano, sottolineata con forza dai suoi detrattori, nasceva colui che secondo Goffredo da Viterbo avrebbe riportato armonia tra tiara e

Federico II in veste di autorità temporale, miniatura del XIII secolo

corona e ricomposto ogni dissidio regnando su Oriente e Occidente, novello Cesare e atteso re del mondo.

Di tutt'altro tono erano state le profezie di Gioacchino da Fiore, riferite più tardi da Salimbene, che riportavano senza mezzi termini l'evento ad oscuri presagi apocalittici e all'avvento dell'Anticristo; e quelle del mago Merlino, che pur prevedendo una nascita miracolosa e insperata, vennero rivisitate e diffuse dopo molti anni dai nemici dell'Impero malignamente stravolte nel loro significato, soprattutto per quel che riguardava la nascita dell'Anticristo generato da una monaca. A turbare l'immaginario collettivo contribuirono non poco anche le malevole illazioni sul conto della regina e sulla sua tardiva maternità. Costanza d'Altavilla, l'ultima principessa normanna, aveva quarant'anni, tanti per l'epoca, troppi per una donna sposata da quasi dieci anni e con un passato che, tra storie e leggende, si perdeva finanche negli oscuri meandri della vita monacale (da cui l'interpretazione allusiva della profezia di Merlino). Le dicerie serpeggiarono senza ritegno per mezza Europa, alimentate da nemici interessati e maligni cronisti; qualcuno sostenne che i medici della Scuola di Salerno avessero simulato la gravidanza della regina grazie a portentosi ed oscuri medicamenti, e che gli stessi avessero fatto passare per erede legittimo un bimbo rapito ad una donna del popolo e sistemato per tempo nel letto della madre; non fosse bastato, dalla penna del maligno Salimbene si dif-

Nonostante tutto, anche quella sosta imprevista a Iesi, città della marca anconetana, sembrava un segno del destino; evocando il nome stesso di Gesù (*Jesus*) diventava la nuova Betlemme, città nella quale, all'indomani del Natale e dell'investitura di Enrico VI Hohenstaufen a re di Sicilia e dell'Italia meridionale, nasceva un bambino già re al quale era stato imposto il nome di Costantino (divenuto solo in un secondo momento Federico Ruggero), nel segno della discendenza imperiale e dell'eredità normanna. Le chiacchiere e

Nascita di Federico a Iesi, dalla Cronica figurata *di G. Villani*

fuse la leggenda che riteneva Federico figlio di un macellaio. Si spiegherebbe così, quel 26 dicembre di ottocento e passa anni fa, la necessità di innalzare in fretta e furia al centro della piazza del mercato di Iesi quella tenda che avrebbe ospitato un parto quasi pubblico, alla presenza delle nobildonne della città, se non di baroni o alti prelati.

le malignità su Costanza furono il frutto della meraviglia per un evento a metà strada tra umano e divino, insolito per l'epoca (un'epoca in cui di parto si moriva facilmente e ben prima dei quarant'anni); ma sostanzialmente furono lo specchio dell'inquietudine nei confronti dell'odiato Enrico VI, che aveva ora non solo la corona ma anche l'erede. Fu allora che Federico nacque non solo come uomo e imperatore, ma soprattutto come mito.

Tra gli appellativi più ricorrenti a lui riferiti annoveriamo *Puer Apuliae*, *Stupor mundi*, primo fra i principi rinascimentali, razionalista, scettico, mecenate; in tempi più recenti lo si preferisce piuttosto come uomo del suo tempo e quindi imperatore medievale e tradizionalista a tutti gli effetti. Dalle ceneri di questo dibattito e di questa ambiguità la figura e la personalità di Federico II riemergono puntualmente, e per nulla incrinate nel loro prestigio. Erede di un impero esteso dalla Germania alla Sicilia, riuscì a riorganizzare la

Il neonato Federico e l'imperatrice Costanza, dal Liber ad honorem Augusti *di Pietro da Eboli*

monarchia e ad arginare l'ingerenza di tutte le forze particolaristiche governando attraverso *Costituzioni* ferree, espressione della sua visione di Stato; animato da insaziabile voglia di conoscenza, l'imperatore coltivò interessi scientifici, che ebbe il merito di volere e sapere approfondire, non giudicando mai abbastanza esaurienti le spiegazioni offerte dai sapienti della sua cerchia al suo temperamento curioso ed avido; intrattenne buoni rapporti con gli "infedeli", riconoscendo il loro diritto a pregare Allah nelle moschee; arrivò a stipulare con il sultano d'Egitto un patto definito "esecrando" dal Papa per porre fine agli spargimenti di sangue in Terra Santa e cingersi il capo della corona di Gerusalemme.

Ma tra i suoi ideali più alti vi fu la conservazione di una duplice eredità dinastica, da trasferire integra ai suoi successori: pur se cresciuto in una Sicilia quasi musulmana, pur se amico di ebrei e saraceni, o se vestito della tunica crociata, Federico II di Svevia – come ricorda D. Abulafia nella sua celebre monografia – "non fu un siciliano, né un romano, né un tedesco, né un *mélange* di teutonico e latino, ancor meno un quasi-musulmano: fu un Hohenstaufen e un Altavilla".

LE DONNE DELL'IMPERATORE

Al pari di molti altri sovrani del suo tempo, e coerentemente con le consuetudini e dalle prerogative proprie degli imperatori di ogni epoca, Federico II fu un grande conquistatore di cuori femminili, oltre che padre e nonno di una discendenza numerosa. Disgraziatamente, nonostante il suo impegno, la dinastia sveva non ebbe il tempo di andare oltre la seconda generazione, a causa delle ben note sfavorevoli circostanze culminate con la morte del giovane Corradino nel 1268. Bisogna tuttavia essere molto cauti nell'azzardare un profondo coinvolgimento sentimentale in ogni rapporto con il gentil sesso, tenendo conto che molto spesso i matrimoni tra case regnanti erano nella migliore delle ipotesi contratti vantaggiosi a suggello di alleanze politiche studiate a tavolino; comunque la storia ci tramanda di tre matrimoni, e dunque tre linee di discendenza legittima con altrettanti figli e nipoti, e diverse altre unioni illegittime, allietate dalla nascita di numerosi figli, il più noto dei quali è senza dubbio lo sfortunato Manfredi, re di Sicilia alla morte del padre nel 1258, "biondo, bello e di gentile aspetto" così come lo immortalò Dante nel *Paradiso*, morto tragicamente nel 1266 a Benevento. Manfredi, insieme a Costanza e Violante, era figlio di Bianca Lancia, l'unica donna, a parte le tre mogli sposate da Federico probabilmente per ragioni di Stato, di cui la storia abbia tramandato il nome e forse l'unica veramente amata da Federico; la loro relazione sopravvisse a tre matrimoni e ad un numero imprecisato di incontri occasionali.

La prima moglie, **Costanza d'Aragona**, fu scelta per lui dal Papa nel 1208; il matrimonio fu celebrato a Palermo quando lo sposo non era neppure quindicenne, e ben dieci anni lo separavano da quella donna che era già stata regina d'Ungheria; pochi anni dopo da quell'unione nacque Enrico, futuro re di Germania, primo discendente legittimo dell'imperatore ma secondo figlio dopo Enzo, che sarebbe diventato re di Sardegna nel 1243, nato da una donna identificata da alcuni come **Adelaide di Urslingen**.

Già alla morte di Costanza, avvenuta nel 1222, erano nati molti altri figli fuori dalle righe. Tra questi vengono ricordati Federico di Antiochia, solo un po' più giovane di Enzo, e Riccardo conte di Chieti; si è tentato di dare un nome alla madre di entrambe, individuando per il primo una giovane siriana conosciuta da Federico durante la crociata del 1228, troppo tardi se si pensa che intorno agli anni Quaranta sia Federico che Riccardo ricoprivano incarichi di grande responsabilità, ed erano quindi già adulti; intorno al 1238-39 erano in età da marito anche tre figlie nate fuori matrimonio, Selvaggia, Margherita e Violante, quest'ultima figlia di Bianca Lancia. Ma l'ufficialità andava salvata; nel 1225 venne celebrato a Brindisi il matrimonio di Federico con **Iolanda di Brienne**, morta tre anni dopo a soli diciassette anni dopo aver dato alla luce Corrado, futuro re di Germania e poi di Sicilia; nel 1235 toccò ad **Isabella d'Inghilterra**, morta di parto sei anni dopo. C'era poco da stare allegri in un periodo in cui la vita delle donne era insidiata tanto da cause naturali quanto dall'atteggiamento dispotico dei consorti che per gelosia erano capaci di tenerle relegate come in un harem; voci insistenti hanno sostenuto per lungo tempo che dietro la breve esperienza coniugale delle tre mogli dell'imperatore, due delle quali morte di parto, ci fosse lo zampino di numerosi maltrattamenti se non dell'avvelenamento. Anche se possono sembrare illazioni eccessive, è bene ricordare che Federico riservò un simile trattamento anche alla sua amata **Bianca Lancia**, la madre di Manfredi, il prediletto fra i suoi figli; sebbene all'indomani della morte della sua terza moglie risulta che l'imperatore le avesse intestato varie terre e possedimenti, si tramanda anche delle furibonde ire imperiali scatenate dalla cieca gelosia, che lo indussero a sospettare un tradimento da parte della sua donna, rinchiusa in isolamento in una torre del castello di Gioia del Colle; e proprio lì, nella "torre dell'imperatrice", la tradizione vuole sia nato Manfredi, colui che

avrebbe raccolto più degli altri l'eredità paterna per difenderla fino al momento estremo. La leggenda dice che Bianca Lancia, nel supremo tentativo tentativo di difendersi dal sospetto, si tagliasse i seni

Il matrimonio tra Federico II e Iolanda di Brienne, dalla Cronica figurata *di G. Villani*

per inviarli a Federico su un vassoio d'argento insieme al neonato; a ricordo di questa triste storia, un ignoto scalpellino riprodusse su un blocco della torre-prigione proprio il simbolo della tragedia e della fedeltà, i seni di pietra di Bianca Lancia.

L'ITINERARIO DI FEDERICO IN PUGLIA

Un viaggio ideale sulle tracce di Federico II, che ritrovi e ricomponga tutti gli infiniti segni del suo passaggio nell'intento di ricostruire lo scenario perduto, rischia di perdersi nei meandri di un tessuto fittissimo, fatto di circostanze minute ed episodi magniloquenti, segnato talvolta da testimonianze materiali giunte sino a noi in condizioni di discreta leggibilità, in altri casi da frammenti stravolti o decontestualizzati.

Pur amando molto Palermo, dove aveva trascorso l'infanzia e la giovinezza, l'imperatore scelse di trasferire la sua corte ed i suoi interessi in Puglia, nei luoghi ove affondavano le radici della prima patria normanna, per una scelta – almeno in origine – sostanzialmente strategica, e poi forse per un inconfessato amore nei confronti della "serena dolcezza" di un paesaggio che doveva apparirgli vitale e malinconico, solare e velato al tempo stesso, "la luce dei suoi occhi" tanto per lui quanto per i suoi figli.

Ciò che noi potremmo chiamare *itinerario federiciano* è in realtà una testimonianza parziale dell'*itinerario di Federico II* in Puglia, ben più complesso ed articolato, fatto di continui spostamenti, brevi soste e rari momenti di riposo, specchio fedele di un "imperatore senza capitale e senza pace, perennemente in movimento, privo di una residenza per sé e la sua corte itinerante". Potrebbe rivelarsi spesso un viaggio in un Medioevo mitico e mitizzato, fatto in qualche caso di pietre, in qualche altro di memorie, un tracciato ideale che si appropria dei *segni* sopravvissuti ai secoli per tentare di restituire alla storia la concretezza di quei *simboli* in cui si riflette la concezione politica e di potere dell'imperatore svevo.

Dunque i castelli, le *domus*, i ritratti veri o presunti, gli oggetti e i documenti, ma anche i *luoghi* e i contesti, elementi mai casuali nell'itinerario di Federico. Se l'originaria qualità di segni forti, propria dei castelli e delle residenze fatti costruire con grande impegno in tutta la regione, sopravvive tuttora ai mutamenti paesaggistici ed ambientali, lo si deve essenzialmente al rapporto – voluto ed intenzionale – degli elementi costruiti con il territorio, una sorta di concretizzazione della presenza fisica dell'imperatore, il suo occhio vigile ed intransigente ma anche l'ostentazione di una regalità e di una sovranità non esenti da presunzione di eternità, come ci riferisce una testimonianza dell'epoca secondo la quale "egli si fece erigere con sommo zelo palazzi di grande bellezza e dimensione, come se dovesse vivere in eterno, nei quali però non poteva mai soggiornare; costruì castelli e torri sulle cime dei monti e nelle città, come se credesse di essere quotidianamente assediato da nemici. Ma, tutto questo egli fece per mostrare la sua potenza, per destare timore e ammirazione e per imprimere la gloria del suo nome così profondamente nella mente di ciascuno, che mai l'oblio potesse cancellarla".

Ecco perché, al di là dell'*itinerario di Fe-*

derico, siamo oggi maggiormente affascinati da un *itinerario federiciano* costruito *ad hoc* seguendo le tracce di edifici diroccati o ristrutturati e di memorie suggestive; tracce – intendiamoci – rigorosamente concrete, trattandosi prevalentemente di *castra* e *domus*, ma anche *relitti* (ciò che resta), luoghi dei quali possiamo misurare le dimensioni ma soltanto immaginare od ipotizzare nel loro reale rapporto con il personaggio.

Per seguire Federico nei suoi spostamenti – come di consueto quando si esplora l'età medievale – dovremmo avere ben presenti le strade su cui si muovevano uomini ed idee, esigenze strategiche ed interessi economici, in altre parole quella viabilità principale e secondaria che sin dall'età romana (e senza modificarsi sostanzialmente nei secoli successivi) aveva disegnato gli itinerari sui quali si muovevano guerrieri e pellegrini, ed in relazione ai quali si sviluppò la buona e la cattiva sorte delle maggiori città.

Le principali vie di comunicazione – la Traiana, l'Appia, la Popilia, la Latina, la Salaria e la via costiera del golfo di Taranto – erano gli assi portanti dell'economia e della vita amministrativa dell'Italia meridionale, e su queste strade sono stati registrati gli innumerevoli passaggi dell'imperatore tra 1220 (anno dell'incoronazione e del rientro nel Regno) e 1250 (anno della sua morte) e localizzate le sue soste. La documentazione esistente for-

Il palatium *federiciano di Lucera in un'incisione del XVIII secolo*

nisce così da sé la mappa dei *luoghi federiciani*, intesi non soltanto in relazione alle testimonianze monumentali che oggi conserviamo ma soprattutto alla luce dei soggiorni dell'imperatore: in Puglia ricorrono frequentemente Foggia, Troia, Trani, Bari, Brindisi, Taranto, ma anche Oria, Apricena, Gravina, Otranto, Barletta, e ancora, Salpi, Lucera. Non è mai documentata la sua presenza a Castel del Monte o ad Andria, ma il ritmo incessante e continuo dei suoi spostamenti fa presumere vistose lacune in quello che sappiamo basandoci solo sui documenti scritti.

Il ritmo frenetico degli spostamenti non impedisce tuttavia a Federico di svolgere l'attività di governo, sempre ed in ogni luogo coordinata dal sovrano in persona attraverso i suoi più fidati funzionari, e – ancor di più – di coltivare i suoi personali interessi culturali e scientifici, a prima vista del tutto incompatibili con i continui viaggi. È egli stesso a dichiarare, in una notissima lettera indirizzata ai dottori dello Studio di Bologna, che "(...) dopo aver preso su di noi la cura del regno, sebbene la moltitudine degli affari di Stato richieda la nostra opera e le cure dell'amministrazione esigano grande sollecitudine, tuttavia quel po' di tempo che riusciamo a strappare alle occupazioni che ormai ci sono divenute familiari non sopportiamo di trascorrerlo nell'ozio, ma lo spendiamo tutto nell'esercizio della lettura, affinché l'intelletto si rinvigorisca nell'acquisizione della scienza, senza la quale la vita dei mortali non può reggersi in maniera degna di uomini liberi...(...)".

Appare evidente che la capacità di coniugare ragione di Stato e ragioni dell'intelletto conferisce alla figura dell'imperatore un innegabile fascino, anche quando, accanto alla sete di conoscenza libera da preconcetti ed influenze religiose, alla curiosità scientifica, alla tensione verso la realtà così come essa è (intento programmatico di manifestare *ea quae sunt sicut sunt*, ben espresso nel celeberrimo trattato *De arte venandi cum avibus*), riaffiora nonostante tutto il sapere dell'epoca, impregnato di superstizioni e credenze, di astrologia e magia, delle quali neppure lo stesso imperatore seppe fare a meno. Questo aspetto della personalità di Federico ritorna nei tanti aneddoti tramandati ora dai suoi sostenitori, ora dai suoi detrattori, e ritorna anche ad illuminare il suo personale *itinerario*, certe sue decisioni, certi orientamenti, e soprattutto gli uomini di cultura e di scienza della sua corte che contribuirono in larga parte ad alimentare la sua continua tensione alla conoscenza.

Dunque, l'*itinerario di Federico* ed un nostro possibile e ben più ridotto *itinerario federiciano* in Puglia finiscono per coincidere nel momento stesso in cui l'efficientissimo sistema di controllo del territorio, che si esprime attraverso gli edifici fortificati e le residenze imperiali – fisicamente situati sulle strade di Federico – rivela strettissimi rapporti con la multiforme personalità del sovrano, le sue aspirazioni conoscitive, i suoi interessi scientifici, la sua cultura in senso lato. E ancora quando, attraverso l'individuazione dei *luoghi* e dei *segni* che testimoniano la presenza dell'imperatore nella regione, l'itinerario federiciano si snoda non solo attraverso le opere che fisicamente si impongono sul territorio come presenza (in qualità di "occhi dell'imperatore"), ma soprattutto attraverso il loro valore di *instrumenta regni*, "mezzi efficaci di informazione e di persuasione in grado di trasmettere le volontà politiche e gli orientamenti culturali del grande Svevo".

Nonostante la tradizione degli studi attribuisca all'imperatore la fama di instancabile costruttore, nella maggior parte dei casi Federico II intervenne su impianti preesistenti di fondazione normanna, e tuttavia quei luoghi – soprattutto fortificazioni urbane – sono passati alla storia come federiciani *tout court* e come tali rientrano nel nostro possibile *itinerario*; in realtà le fondazioni documentate con certezza si limitano prevalentemente a *palatia* e *domus solaciorum*, aprendo i luoghi federiciani allo spazio dell'ozio piuttosto

Foggia, archivolto del palazzo di Federico II

che a quello della guerra. Ecco allora **Foggia**, definita *regalis sedes inclita imperialis*, riscattata dalla perdita quasi totale del palazzo imperiale – sede simbolica di una corte itinerante – a metà tra la reggia ed il castello, uno dei pochi edifici certamente attribuibili *ex novo* all'imperatore (1223); o **Gravina**, nel cui territorio sorse un *castrum* a vocazione residenziale prevalentemente destinato ad attività venatorie, a giudicare dalla presenza di acque, boschi nonché di una sala *"que dicitur falconeria"* (1231); e **Lucera**, città abitata dai Saraceni e sede di un *palatium* sontuoso dissimulato nelle forme di una torre (1233); e naturalmente **Castel del**

Monte, edificio simbolo della concezione del potere imperiale che costituisce il fulcro di ogni possibile itinerario e che, da solo, vale un viaggio nelle terre di Federico. Gli altri luoghi che l'itinerario non può evitare di attraversare (**Bari**, **Trani**, **Gioia del Colle** o **Monte Sant'Angelo**, tanto per menzionarne alcuni) sono diventati federiciani per tradizione; in realtà potrebbe essere l'occasione propizia per reinterpretare il ruolo esercitato da Federico su di essi che già furono luoghi normanni, e poi angioini, spagnoli e quant'altro.

Ma, si sa: l'imperatore, in quanto vicario di Dio in terra, è "potenzialmente in ogni luogo", e per far ciò, ovunque, "in ognuna delle città su cui esercitava il suo dominio, volle avere un *palatium* o un *castrum*" nel segno di una *regalità* sempre ostentata e di una *auctoritas* costantemente sottolineata. Se oggi consideriamo federiciano il nostro itinerario, e non invece bizantino o normanno, angioino o aragonese, lo dobbiamo fondamentalmente alla nuova funzione marcatamente simbolica e propagandistica dell'architettura e dell'arte federiciana, che ha reso indelebili le tracce lasciate dall'imperatore, anche quando la storia lo nega.

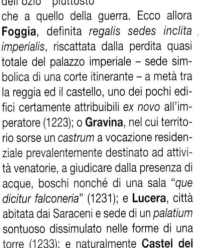

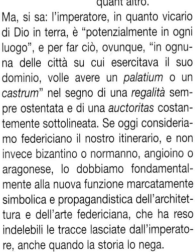

Federico II costruttore di castelli

I cantieri federiciani attivi in Puglia dopo il soggiorno in Germania dell'imperatore prendono l'avvio da **Foggia**, dove nel 1223 è firmato da Bartolomeo da Foggia il *palatium* oggi perduto di cui ci rimane il solo archivolto d'ingresso, che rappresenta oltretutto una preziosa testimonianza per illuminare i rapporti e i legami tra committente ed operatore; il discorso di Federico II progettista o ideatore dell'opera finale insieme all'operatore materiale trova qui un preciso riferimento.

Seguono gli anni del ripristino dei castelli costieri: tra il 1225 e il 1228 è aperto il cantiere di **Barletta**, tra gli anni Venti e Trenta quelli di **Bari**, **Trani** e **Brindisi**. Coesistono in questo momento l'indirizzo di radice romanica accanto a quello gotico innovatore.

A **Lucera**, intorno al 1233, il sovrano lascia il primo segno di rinnovata ricchezza nelle strutture decorative ed ornamentali, connesse alla costruzione del suo *palatium*. Come testimoniato dai disegni di Jean Desprez del 1778, è possibile considerare questo palazzo nella sua struttura originaria, inserendolo nel programma di residenze regie, *domus solaciorum* e castelli di caccia disseminati in tutta la Capitanata e nell'interno della Terra di Bari.

Rientra in quest'ambito il discorso di Federico II collezionista di opere d'arte antiche ed antiquario, del cosiddetto classicismo federiciano, e del connubio tra la rielaborazione dell'antico e la preziosità della materia e dell'esecuzione dei manufatti: marmo, breccia corallina, pietra calcarea, e ancora mosaico, tarsie, vetrate policrome. La celebrazione di un fasto e di un ingegno consacrati nella porta di Capua, il cui cantiere fu attivo tra il 1234 e il 1239.

Nel flusso della civiltà gotica europea, mediata in Puglia da Federico, confluiscono da un lato l'esperienza dell'antico perseguita a Capua, dall'altro l'interesse per la natura e le sue forme, evidentissima negli intenti programmatici dello Svevo, e di diretta derivazione francese. Castel del Monte rappresenta in tal senso il capolavoro e la sintesi di tutti questi elementi e di tutte queste esperienze.

Il castello di Bari

Sappiamo di un castello eretto a Bari da Ruggero II, re di Sicilia, poco dopo il 1132; l'edificio fu assediato, espugnato e distrutto nel 1137 dall'imperatore Lotario II, e nuovamente ricostruito dallo stesso Ruggero circa tre anni dopo. Nel 1156, con la distruzione della città da parte di Guglielmo il Malo, anche la struttura fortificata subì notevoli danni; il castello ripristinato intorno al 1233 da Federico II di Svevia era quindi una precedente costruzione normanna da identificare presumibilmente con l'attuale cinta quadrangolare interna, munita di torri agli spigoli, e torri intermedie le cui basi poligonali sono riconoscibili sui lati meridionale ed occidentale. L'intervento federiciano è difficilmente ricostruibile, ma certamente svevi sono il portale lunato con l'archivolto scolpito, il vestibolo coperto da volte a crociera con capitelli e mensole scolpiti, il portico che si affaccia sul cortile interno. Le poche tracce federiciane sottolineano un intervento teso a valorizzare ancora una volta l'aspetto magniloquente e rappresentativo del polo cittadino simbolo del potere imperiale: si pensi all'archivolto del portale che immette nel cortile, dove ricompare l'aquila che stringe tra gli artigli una lepre (come nei timpani delle finestre superstiti nel castello di Barletta), o alla mensola dell'androne raffigurante dieci testine di soldati allineate con elmi simili a quelli dei legionari romani. In epoca angioina venne riparata l'ala che dà sul mare, e furono costruiti all'interno un palazzo con camere – forse in parte identificabile nell'attuale sala al primo piano accessibile dallo scalone destro – e una cappella; di questa fase di interventi è rimasto molto poco, a causa dei profondi rimaneggiamenti cinquecenteschi, ad opera di Bona Sforza, che sconvolsero l'ala settentrionale del castello. L'altra fase costruttiva evidente, dopo quella medievale, è costituita dall'intervento aragonese che dotò il castello della

Bari

cinta bastionata sui tre lati verso terra, inglobando le strutture preesistenti. L'ingresso attuale fu ricavato nel baluardo di sud-est al tempo dei Borboni, il cui stemma campeggia al di sopra dell'arco.

Oggi il castello, dopo un lungo periodo di decadenza in cui è stato anche carcere e caserma, è sede della Sovrintendenza ai Beni Architettonici, Ambientali, Artistici e Storici della Puglia, e solo parzialmente visitabile; l'ingresso attuale immette nella zona compresa tra i bastioni cinquecenteschi e la cortina muraria normanno-sveva nella quale è stato riaperto, grazie ai restauri di questo secolo, il portale federiciano scolpito che reca in chiave l'emblema imperiale dell'aquila e attraverso il quale si passa al vestibolo, diviso in campate sostenute da mensole e colonne con capitelli scolpiti a fogliami, sui quali hanno lasciato la loro firma gli scultori Mele da Stigliano e Finarro da Canosa; il passaggio successivo porta all'ampio cortile cinquecentesco, su cui si affacciano i resti del portico federiciano, la scalinata a due ali ricostruita sull'analogo percorso di quella originaria (le cui tracce erano state rinvenute nel corso dei restauri) e la cappella di S. Stanislao, da poco restaurata.

IL CASTELLO DI BARLETTA

Costruito probabilmente nel periodo normanno, il castello di Barletta appare per la prima volta in un documento del 1202. L'intervento federiciano è testimoniato dal corpo di fabbrica posto sul lato sud con due finestre che recano scolpite nelle lunette l'aquila imperiale che stringe tra gli artigli una lepre, motivo ricorrente nel repertorio iconografico svevo.

Ampie testimonianze si hanno invece dell'intervento angioino: i lavori, decisi da Carlo I nel 1269, si protrassero per diversi anni, fino al 1291, e videro l'intervento dell'architetto regio Pierre D'Angicourt. In questa occasione si ristrutturarono il corpo di rappresentanza regia e il palazzo, si costruì la cappella e si rafforzò militarmente il complesso costruendo una cinta muraria con una torre rotonda posta ad angolo. Gli Aragonesi intervennero tra il 1458 ed il 1481, rafforzando la cinta muraria e successivamente, per ordine di Carlo V, il castello assunse la configurazione ad impianto simmetrico con quattro bastioni angolari a lancia ed aperture di fuoco disposte radialmente e lungo le cortine, adeguandosi ai canoni di fortificazione dell'epoca. Il progetto è attribuito all'ingegnere militare Evange-

Barletta

lista Menga, il cui nome è legato anche al castello di Copertino.

Venne rinforzata la zona verso la città, più esposta a possibili attacchi, si intervenne sul lato di levante, sullo spigolo sud-est e sulle cortine murarie. A questa fase dei lavori fa riferimento la lapide posta sull'ingresso del castello, sormontata dallo scudo di Carlo V e recante la data 1537, interpretata erroneamente come la data di completamento dell'edificio, che tale non può considerarsi valutando i tempi di costruzione che la mole del castello richiedeva. Tra il 1552 ed il 1559 i lavori riguardarono essenzialmente le opere di difesa, con il completamento del bastione dell'Annunziata, la costruzione dei bastioni di S. Antonio, a nord-est, di S. Vincenzo, a nord-ovest, e di S. Maria a sud-ovest, nonché del ponte levatoio per l'accesso al castello stesso.

Altri interventi si sono susseguiti nel corso dei secoli fino ai recenti lavori di restauro, iniziati nel 1970 e conclusi pochi anni fa, che hanno dovuto fronteggiare una situazione complessa, anche a causa della trasformazione dell'edificio in carcere militare. Il risultato di questi lavori offre la possibilità di riuso del castello sia come centro culturale che come centro rappresentativo polivalente, nonostante la difficoltà di far corrispondere gli obiettivi individuati alla vocazione degli spazi a disposizione. Si è così deciso di costituire un *lapidarium*, una esposizione permanente di armi ed oggetti dell'antico artigianato, uno spazio destinato alle mostre temporanee, una sala convegni con relative attrezzature, una sala di rappresentanza del Comune, una esposizione di alcuni fondi pittorici importanti del Museo Civico, la sede dell'Azienda di Soggiorno e Turismo e, infine, la Biblioteca Civica.

IL CASTELLO DI BRINDISI

Il castello rivela due momenti costruttivi fondamentali: da una parte il nucleo centrale a pianta trapezia edificato da Federico II nel 1227 e restaurato dagli Angioini, dall'altra l'ampliamento aragonese realizzato da Ferdinando I nelle forme di un grandioso antemurale,

munito di quattro torrioni cilindrici angolari, che inglobò l'edificio svevo. Il castello federiciano consisteva in un edificio a pianta quadrangolare dotato di torrioni angolari e circondato da fossato sui lati verso terra; la tradizione vuole che Federico abbia soggiornato qui insieme alla seconda moglie Jolanda di Brienne nell'appartamento imperiale cui si accedeva da una porta affacciata sul gran cortile sormontata da una statua dell'imperatore. Oggi il castello è sede del Comando Militare della Marina.

IL CASTELLO DI GIOIA DEL COLLE

Il castello fu fondato da Riccardo Siniscalco, fratello di Roberto il Guiscardo, su una preesistenza bizantina, ampliato da Ruggero II e ricostruito da Federico II intorno al 1230, al ritorno

Brindisi

Gioia del Colle

dalla sesta crociata. È all'imperatore svevo che si deve la definizione della sua articolazione, e il suo inserimento nello scacchiere difensivo del regno, cui seguirono interventi parziali da parte di Angioini e Aragonesi; la progressiva decadenza e la conseguente perdita di importanza dal punto di vista militare, portarono ad un uso improprio delle strutture, fino alla suddivisione degli spazi interni in funzione abitativa; a tutti questi guasti si tentò di porre rimedio con i restauri di inizio secolo che, insieme agli interventi più recenti, hanno contribuito a restituire alla costruzione la parvenza dei passati splendori. Al momento svevo è attribuita fondamentalmente la sistemazione del cortile e dei corpi di fabbrica ad esso relativi, oltre che la cosiddetta Torre dell'Imperatrice; con questa denominazione la tradizione popolare ricorda la pietosa vicenda di Bianca Lancia, imprigionata da Federico nella torre per sospetto di infedeltà, che qui avrebbe messo alla luce Manfredi, successore dell'imperatore stesso. Il castello ha pianta quadrangolare e due possenti torri sul fronte meridionale, ed è caratterizzato da un paramento murario costituito da grosse bugne a bauletto ed aperto in più punti da finestre, oculi e feritoie relativi alle diverse fasi costruttive; attraverso il portale principale ed il contiguo androne, si accede al vasto cortile trapezoidale dove sono più evidenti i segni dei restauri che hanno voluto a tutti i costi restituire il Medioevo delle belle finestre gotiche e della trionfale scala di accesso al piano superiore, così

come i camini e gli arredi della pur suggestiva Sala del Trono. Oggi il castello ospita preziosi reperti archeologici provenienti dalle aree di scavo circostanti, ed è sede della Biblioteca Comunale.

IL CASTELLO DI MONTE SANT'ANGELO

Posto a nord-ovest dell'abitato, l'attuale castello è il risultato di dieci secoli di storia, ma soprattutto di distruzioni, ricostruzioni e ristrutturazioni. Il nucleo originario, la torre pentagonale detta "dei Giganti", è attribuito ai Normanni che, prima con Rainulfo conte di Aversa e poi con Roberto il Guiscardo, avrebbero eretto un edificio fortificato sul sito di un precedente impianto difensivo di epoca longobarda; al tempo di Federico II dovettero esserci interventi di una certa consistenza, come testimoniato dallo *Statutum de reparatione castrorum*, e successivamente ulteriori aggiunte nel periodo angioino, oltre alla sua temporanea trasformazione in prigione. Agli Aragonesi si deve invece il decisivo ampliamento e la revisione globale delle strutture, che assunsero una conforma-

Monte Sant'Angelo

zione in linea con i tempi e con le mutate esigenze difensive; a questo periodo appartiene il torrione di testata, a forma di carena di nave, che riporta la data del 1493.

IL CASTELLO DI ORIA

Più che un castello, quello di Oria ha tutta l'aria di un recinto fortificato, che si adegua alla cima della collina su cui è situato assumendo una configurazione planimetrica triangolare. Il nucleo più antico è individuabile nel massiccio torrione quadrangolare a sud-ovest, costruito in forma di *donjon* e probabilmente appartenente alla fase sveva della costruzione (databile tra 1227 e 1233), benché siano evidenti i segni di rimaneggiamento ed adattamento alle nuove tecniche difensive operati in epoca rinascimentale mediante l'inserimento di cannoniere e feritoie. Altre torri si trovano sul lato meridionale (le torri cilindriche dette "del Salto" e "del Cavaliere") e alla punta settentrionale (la torre quadrata detta "dello Sperone"). All'interno del recinto gli unici ambienti coperti che si rilevano so-

no caserme, magazzini e l'alloggio per il feudatario che, insieme ad una serie di capienti cisterne, testimoniano la natura prettamente indirizzata alla difesa della costruzione, che in moltissimi casi dovette resistere ad ostinati assedi garantendo nel contempo la completa autonomia.

IL CASTELLO DI SANNICANDRO

Il castello di Sannicandro è stato da poco sottoposto ad un accurato restauro che ne ha recuperato in parte l'antica e compatta volumetria, e l'elegante struttura residenziale frutto di quasi dieci secoli di stratificazioni. Fu fondato infatti nel X secolo come recinto fortificato, e totalmente ristrutturato dai Normanni che ne definirono la caratteristica planimetria quadrangolare munendolo di ben otto torri, sei delle quali ancora esistenti; la trasformazione avvenuta intorno al 1242 in senso residenziale, con l'ampliamento e la trasformazione degli edifici esistenti, porta il segno inconfondibile dello stile federiciano, così come farebbero pensare certe caratteristiche architettoniche, costruttive e decorative che

Oria

Sannicandro

richiamano tra l'altro il vicino castello di Gioia del Colle. La storia successiva è fatta di vari passaggi feudali e di una permanenza plurisecolare tra le proprietà della Basilica di S. Nicola di Bari, e culmina con la ristrutturazione ottocentesca, che cambiò totalmente l'immagine del castello.

IL CASTELLO DI TRANI

Il castello venne fondato da Federico II di Svevia nel 1230 e terminato nel 1233, come attesterebbe un'iscrizione posta nel cortile occidentale su un ampio portale archiacuto. Un'altra iscrizione sul lato nord, collocata sull'antica porta a mare, attesta la conclusione delle opere di fortificazione, condotte da Filippo Cinardo conte di Conversano ed Acquaviva, e dal tranese Stefano di Romualdo Carabarese, in data 1249.

Fu dimora prediletta di Manfredi, figlio di Federico II, che vi celebrò le sue seconde nozze con Elena d'Epiro; con gli Angioini venne sottoposto ad ulteriori lavori sotto la direzione di Pierre d'Angicourt, mentre nel XV e XVI secolo subì deturpazioni ed aggiunte che lo portarono alla configurazione attuale. Dopo un breve periodo sotto la giurisdizione veneta, Trani e il suo castello tornarono all'imperatore Carlo V, come attesta una terza iscrizione, datata 1533, collocata nella parete sud del cortile, all'altezza del secondo piano. L'iscrizione fa riferimento alla ristrutturazione dell'ala sud del cortile, che conferì al castello un carattere "moderno" stravolgendo il vecchio impianto medievale

svevo. Attualmente appartengono all'originario nucleo svevo il mastio con tre torri angolari e la cortina verso il mare; la parte verso la città si riferisce invece all'intervento cinquecentesco. L'ampio fossato era una volta direttamente in comunicazione con il mare, mentre il ponte di pietra che funge da accesso sostituisce l'antico levatoio, permettendo il collegamento con la piazza antistante. Della fisionomia originaria, perdutasi nel corso degli eventi storici e bellici, è possibile recuperare solo qualche elemento: sulla facciata interna del cortile rivolta ad ovest, le trac-

Trani

ce della primitiva scala d'accesso ai saloni del piano superiore sul lato nord; varie mensole ancora *in situ* testimoniano l'esistenza di una originaria copertura a crociere del corridoio, mentre finestre e cornici dell'ala nord suggeriscono solo vagamente la grandiosità con cui doveva presentarsi la spettacolare apparecchiatura residenziale e rappresentativa, fusa in un contesto militare e fortificato. Il castello è stato da poco restaurato e recuperato alla fruizione.

IL CASTELLO DI VIESTE

Il castello sorge a strapiombo sul mare, al margine dell'abitato, e venne costruito da Federico nel 1240 come "regia fortezza", all'interno di un progetto di fortificazione costiera che annoverava numerosi castelli lungo la sponda adriatica. Tuttavia la configurazione attuale si deve ad interventi spagnoli attuati tra 1535 e 1559, durante i quali i resti della fortificazione sveva vennero inglobati e trasformati fino a perdere qualsiasi evidenza. La tradizione vuole che l'imperatore abbia soggiornato a Vieste almeno in due occasioni, nel 1240 e nel 1250, già molto se si considera che alcune tra le costruzioni da lui fatte edificare non ebbero mai l'onore di ospitarlo tra le loro mura. Attualmente adibito ad usi militari, non è purtroppo visitabile.

LA *DOMUS* DI APRICENA

Secondo la tradizione, Federico edificò ad Apricena una residenza intorno al 1225, un castello di caccia nel quale l'imperatore soggiornò più che in ogni altro durante gli anni del regno in Italia meridionale, come attesta il gran numero di lettere e privilegi emessi da questa località. Ma l'attuale palazzo baronale conserva ben poco delle strutture originarie, essendo stato edificato nel 1658 da parte del locale feudatario Scipione Brancia sulle rovine del castello federiciano semidistrutto. Almeno come dati evidenti e visibili riferibili alla costruzione sveva, si segnala soltanto una finestra bifora posta sul torrione cilindrico dell'angolo nord-ovest: davvero una traccia labilissima, rispetto al glorioso passato testimoniato dai documenti.

Vieste

Apricena

IL *PALATIUM* DI CASTEL FIORENTINO

Prima che gli scavi archeologici affrontassero globalmente il problema della città scomparsa di Fiorentino, si era soliti identificare i resti dello

Castel Fiorentino, particolare della domus

scomparso palazzo federiciano, attestato dalla documentazione scritta e tradizionalmente ritenuto luogo della morte dell'imperatore, con i ruderi della torre orientale, posta al confine tra la città ed il sobborgo individuato *extra moenia*. Parzialmente conservata in elevato, la torre poggia su un alto zoccolo troncopiramidale scandito da dodici muri radiali; il paramento murario è caratterizzato da mattoncini disposti in filari regolari, che contrastano vivacemente con i poderosi spigoli (oggi quasi del tutto perduti), in pietra calcarea come il basamento e la cornice modanata riportati alla luce dallo scavo.

L'interno, parzialmente crollato, mostra una raffinata copertura a crociera costolonata.

L'indagine sul terreno ha però individuato, nell'area occidentale dello sperone, un poderoso edificio che associa le caratteristiche di difesa a quelle di una *domus* imperiale: un impianto regolare (due corpi rettangolari affiancati, il cui spazio interno era scandito da arconi trasversali, come indicano le imposte superstiti), una muratura spessa e rivestita da grossi blocchi squadrati e rifiniti, tracce decorative che individuano inequivocabilmente la vocazione residenziale (frammenti di pavimentazione in cotto a spina di pesce, frammenti vitrei policromi appartenenti a vetrate, resti di due camini, frammenti di capitelli e colonnine relativi a finestre). Il palazzo, non ricostruibile nel suo elevato, doveva avere un piano superiore, come farebbero pensare un confronto approssimativo con la *domus* di Gravina e, ancor di più, la qualità dei frammenti scultorei rinvenuti nello scavo e pertinenti all'apparato decorativo. Oltre a questi indizi confortanti, sono emersi però anche i segni di una storia travagliata, delle lotte, delle distruzioni, delle ricostruzioni, della decadenza. Il destino di Fiorentino e della sua *domus* sembra davvero legato a quello degli Svevi: dopo la morte di Federico gli Angioini tradirono la sua vocazione residenziale con un uso strettamente militare e, già prima del 1418, il palazzo, spogliato di gran parte dei suoi arredi, è considerato abbandonato e in completa rovina.

La *DOMUS* di Foggia

Del palazzo imperiale di Federico II, edificato nel 1223, si è conservato soltanto un archivolto sorretto da due aquile murato su palazzo Arpi in piazza Nigri, e una iscrizione ad esso relativa, dalla quale si evince il rapporto intercorso tra committenza ed esecutore, un Bartolomeo identificato come *protomagister*, e la data della costruzione.

L'edificio sorse nei pressi della cattedrale nel sito detto "la pescheria", e si estendeva dalla cosiddetta "Corte" fino alla porta maggiore della chiesa.

Come si evince dal testo dell'iscrizione, fu realizzato secondo un'idea dello stesso Federico II, che aveva voluto per Foggia la dignità di sede imperiale; nel 1240 ospitò la Dieta generale del Regno, convocata dall'imperatore rientrato dalla Lombardia.

Descritto a volte come reggia, a volte come castello, ricordato ancora nel Settecento come un edificio "ricco di marmi, e già di statue e colonne" e registrate ancora parzialmente in piedi "in più luoghi portioni delle sue mura", il palazzo subì nel corso dei secoli un lento e progressivo declino, fino alla definitiva scomparsa.

Foggia, iscrizione del palazzo di Federico II

La *DOMUS* di Gravina

I resti del castello di Gravina si ergono sul dorso di un colle su cui svettano le mura esterne conservate ad altezze differenti; pochi resti all'interno

Gravina

(alcuni fregi sulla parete trasversale a nord-ovest) danno l'idea di un accurato decoro architettonico totalmente perduto. L'evidenza delle strutture superstiti ci dice che si trattava di un edificio di forma rettangolare, organizzato su due piani di cui quello superiore destinato agli alloggi imperiali, illuminati da grandi finestre e coperti a volte; quello inferiore, presumibilmente destinato alle scuderie e ad altri usi di servizio, manteneva le caratteristiche comuni a molti altri edifici a metà tra la residenza e la fortificazione, caratterizzati da una cortina muraria più compatta e aperta qua e là da oculi e strette finestrine fortemente strombate. Al piano terra, avanzi di camino e di pareti divisorie testimoniano di uno spazio articolato e funzionale alla residenza del sovrano; l'elaborata articolazione degli spazi interni è testimoniata anche dalle fondazioni rinvenute dagli scavi condotti negli anni Cinquanta, che hanno messo in luce l'esistenza di una serie di ambienti disposti lungo il perimetro interno ed intorno ad un cortile centrale stretto ed allungato; è la conferma di una descrizione del 1307, che annovera nel palazzo, oltre ad una vasta serie di ambienti, anche una sala "dedicata" ai falconi, per i quali fu probabilmente creato dallo stesso Federico un lago artificiale a pochi chilometri di distanza dalla residenza. Un'ultima curiosità si riscontra nella *Vita* di Nicola Pisano scritta dal Vasari, in cui si racconta come Federico ordinasse ad un Fuccio architetto e scultore fiorentino di fondare "un barco cinto di mura per l'uccellagioni presso a Gravina".

IL *PALATIUM* DI LUCERA

La fondazione del *palatium* della colonia saracena di Lucera è collocabile intorno al 1233. Le sue rovine (lo zoccolo perimetrale con parte delle pareti a scarpa, e il basamento del nucleo centrale) non sono da sole sufficienti a restituire l'immagine dell'edificio originario, che recuperiamo invece grazie ad alcuni documenti come i disegni che il pittore francese Jean Desprez realizzò nel 1778 poco prima della sua distruzione, e una tavola ottocentesca "degli archi e colonnati che esistevano nelle stanze del Palazzo Regio" pubblicata da Giambattista D'Amelj. Doveva trattarsi di un edificio a quattro ali su tre livelli, in forma di torre,

posto sul basamento troncopiramidale che ancor oggi si osserva all'interno della cinta angioina; al suo interno, un cortile quadrato che all'altezza del secondo piano si trasformava in ottagono, anticipan-

Lucera, resti del palatium *federiciano*

do in qualche misura soluzioni che sarebbero state poi adottate a Castel del Monte. Dunque, all'apparenza una torre abitabile, in realtà un palazzo-torre, sapiente fusione tra torre normanna e palazzo aperto islamico, tra esigenze di fortificazione e difesa e necessità di rappresentatività e comfort residenziale. Su quest'ultimo aspetto i disegni di Desprez e la tavola di D'Amelj sono eloquenti, e consentono di individuare ornamentazioni preziose, ricercate soluzioni decorative abbinate ai portali, alle finestre, agli oculi e alle losanghe che alleggerivano su tutti i livelli la massa muraria esterna ed interna. Pare inoltre che Federico avesse fatto trasferire a Lucera una serie di statue antiche per adornare il suo palazzo, a conferma di una propensione e di un amore per l'antichità già manifestatisi nel caso in Castel del Monte e nel castello di Siracusa.

UN'ARTE AL SERVIZIO DELLO STATO

L e competenze e la cultura dei *magistri* impegnati nel corso del Duecento nei cantieri meridionali, fanno riferimento ad un clima creatosi attorno alla figura dello stesso Federico, alla sua committenza, alla sua corte come punto di aggregazione di ogni sorta di intellettuali ed artisti.

Nei suoi elementi strutturali e decorativi, quella che potremmo definire arte federiciana si rivela come un'arte composita, ricca di reminiscenze classiche e di suggestioni provenienti tanto dall'Oriente quanto dalla cultura gotico-cistercense. Mai si tratta però di citazioni casuali, bensì sempre di scelte coscienti e mirate, di profonda assimilazione e compenetrazione tra culture diverse. Il rapporto dell'imperatore con i Cistercensi, diffusori delle forme gotiche e borgognone in territorio italiano, costituì ad esempio il tramite per il passaggio, anche nel Regno meridionale, di modi e modelli oltralpini, che emergono tanto nelle forme architettoniche quanto – e soprattutto – nella scultura e nelle cosiddette arti minori. Del classicismo federiciano, e dell'immagine mitizzata di un Federico collezionista ed estimatore di opere d'arte antiche, va considerata da un lato la citazione archeologica *tout court*, come nei ritratti, nelle monete auree (*augustales*) raffiguranti il busto dell'imperatore di profilo e con il capo laureato, e nelle sculture frammentarie della Porta di Capua; dall'altro il classicismo gotico proveniente da Reims e dai cantieri d'Oltralpe, rielaborato ed arricchito, ed infine "esportato" attraverso personaggi come Nicola *de Apulia* (meglio noto come Nicola Pisano).

Ma l'arte federiciana non fu solo rielaborazione del passato e della tradizione; fu anche una creazione originale, che si connotò come uno stile "di palazzo", spesso propagandistico, caratterizzato dall'ostentazione del simbolo, specchio della concezione politica e del potere. Le scelte maturate dopo l'elevazione alla dignità imperiale sancirono la rottura, non nei modi ma nella sostanza, con la precedente tradizione (normanna e islamica) per rivolgersi totalmente all'Occidente e fare del monumento una sintesi storica ed una proposta ideologica, nelle quali la manifestazione dell'onnipresenza del sovrano si concretizzava anche attraverso la continua ostensione dei ritratti ufficiali nonché dei simboli della dignità e del potere imperiale.

Pensiamo al busto del Museo Civico di Barletta, tradizionalmente ritenuto uno dei ritratti dell'imperatore, e riecheggiante fonti classiche di età alessandrina, o alle monete d'oro recanti la titolazione *Cesare Augusto imperatore dei Romani*.

Pensiamo alla Porta di Capua, il castello-ponte ai confini con lo Stato della Chiesa voluto da Federico tra 1233 e 1239 come "monumentale arco di trionfo" e allegoria della giustizia imperiale, ornata di statue palesemente ispirate alla scultura romana di età imperiale; dal testo delle iscrizioni che si svolgevano lungo le cornici delle nicchie che ospitavano le colossali sculture, si evince il senso che doveva avere questa poderosa macchina di rappresentanza a metà tra il castello, il ponte, il palazzo e l'arco trionfale: chiunque si accingesse ad entrare nel Regno di Sicilia attraverso questa porta, doveva sapere chi fosse colui che troneggiava al di sopra di tutto, e di conseguenza doveva sapere cosa sperare, e cosa aspettarsi nel caso fossero stati violati il suo ordinamento e la sua pace fondati sulla giustizia. La Porta di Capua può essere considerata

La Porta di Capua in una ricostruzione del 1928 tratta da un disegno di F. di Giorgio Martini

in un certo senso una proiezione delle *Costituzioni* di Melfi, nelle quali la *Iustitia* veniva celebrata come principio ispiratore, e l'imperatore come la sua espressione vivente: a Capua, tra le raffigurazioni della Porta, spiccava una testa della *Iustitia* insieme all'immagine dell'imperatore seduto.

Pensiamo all'ostentazione del fasto e della cultura di corte usata per impressionare i prigionieri di guerra, ai quali venivano mostrate le *domus solaciorum* della Capitanata al solo scopo di stupire e meravigliare; quale fosse veramente la funzione dell'architettura nel programma imperiale, e con quale intensità si esprimesse la passione costruttiva di Federico, è efficacemente riassunto dalle illuminanti parole di un annalista dell'epoca: "Egli si

fece erigere con sommo zelo palazzi di grande bellezza e dimensione, come se dovesse vivere in eterno, nei quali però non poteva mai soggiornare; costruì castelli e torri sulle cime dei monti e nelle città, come se credesse di essere quotidianamente assediato da nemici. Ma, tutto questo egli fece per mostrare la sua potenza, per destare timore e ammirazione e per imprimere la gloria del suo nome così profondamente nella mente di ciascuno, che mai l'oblio potesse cancellarla".

Pensiamo infine a Castel del Monte: non è certo plausibile che l'amore per la falconeria ereditato dal padre Enrico, per quanto profondo, abbia potuto generare la progettazione di una forma così perfetta, fondata sulla ripetizione quasi ossessiva del tema dell'ottagono, solo perché fosse utilizzata come rifugio di caccia. È certo più suggestiva la tesi che vede il castello come un simbolo di Stato, o della stessa idea imperiale, il segno di una sovranità espressa attraverso la funzionalità, la gerarchia, il concetto che ogni cosa debba trovare il suo posto. Proprio come nel progetto di Stato vagheggiato da Federico. Che era poi l'utopia di una società perfetta, verticistica, dominata dall'imperatore, gloria ed al tempo stesso limite fatale di un imperatore del tutto medievale e figlio del suo tempo.

Le Costituzioni di Melfi

Promulgate da Federico II nel 1231, sono considerate la più antica legislazione di tipo costituzionale di uno stato moderno; consistono in oltre duecento disposizioni legislative e proclami riuniti in un *corpus* che, lungi dall'essere del tutto originale, rivela piuttosto l'equilibrata combinazione di elementi di diritto consuetudinario germanico, di fonti romane, canoniche e feudali, nonché di tradizioni locali, volte a migliorare le disposizioni giuridiche esistenti al fine di risolvere gli impellenti problemi del Regno di Sicilia; dove non espressamente indicato, vengono comunque mantenute le leggi normanne. Il codice è conosciuto anche come *Liber Augustalis*, il libro di Augusto, quasi a voler sottolineare il legame con gli illustri e divini predecessori, e in linea con quanto si legge nell'introduzione, dove il primo tra i titoli attribuiti a Federico è "imperatore dei Romani, Cesare Augusto". Alla sua stesura collaborò tra gli altri il notaio capuano Pier delle Vigne, a cui si deve probabilmente l'idea guida del lavoro, non a caso l'unico ad essere espressamente nominato nel titolo di chiusura delle *Costituzioni*.

Il testo legislativo, pervenutoci frammentario, è suddiviso in tre libri, ognuno dei quali comprende un certo numero di *titoli* omogenei per materia trattata; il I Libro comprende 78 leggi riguardanti l'organizzazione della giustizia, il diritto penale ed alcune norme di procedura civile; il II, per un totale di 78 leggi, tocca temi di procedura civile e penale, mentre il III, in cui sono raggruppate 89 leggi, si occupa di diritto feudale, diritto di proprietà e di famiglia.

L'intento programmatico enunciato dalle *Costituzioni* mostra la consapevolezza del monarca legislatore di dover necessariamente affiancare all'uso delle armi la forza del diritto e la promozione della *iustitia*, nell'ottica di una più generale restaurazione dell'ordine e della correzione delle iniquità dell'uomo. Ma soprattutto ribadisce l'origine divina del potere concesso a Federico, grazie alla quale, senza intermediari, è il principe che ha il potere di guidare il suo popolo verso la salvezza attraverso l'esercizio della *iustitia* sulla quale si fondano le sue buone leggi. Il sovrano è tale in modo assoluto, rispetta la legge esistente ma ha anche il potere di darle nuova forma; egli è l'incarnazione della legge, l'unico in grado di mantenere e far prosperare l'ordine sociale creato da Dio.

CONSTITVTIONES
REGVM REGNI VTRIVSQVE SICILIÆ
MANDANTE
FRIDERICO II. IMPERATORE
PER
PETRVM DE VINEA
CAPVANVM PRÆTORIO PRÆFECTVM, ET CANCELLARIVM
CONCINNATÆ
NOVISSIMA HAC EDITIONE SVMMA CVRA RECOGNITÆ, ET INNVMERIS PROPE, QVIBVS
ANTEA SCATEBANT, ERRORIBVS, OMNINO PVRGATÆ
AD FIDEM ANTIQVISSIMI PALATINI CODICIS
CVM
GRÆCA EARVMDEM VERSIONE
E REGIONE LATINI TEXTVS ADPOSITA
QVIBVS NVNC PRIMVM ACCEDVNT
ASSISIAE REGVM REGNI SICILIAE
ET FRAGMENTVM
QVOD SVPEREST
REGESTI EIVSDEM IMPERATORIS
ANN. 1239. & 1240.

NEAPOLI
EX REGIA TYPOGRAPHIA
ANNO MDCCLXXXVI.

Frontespizio di un'edizione settecentesca delle Costituzioni

FEDERICO II E LE SCIENZE

L'ansia di conoscenza dell'imperatore strettamente legata alla realizzazione della sua volontà politica produsse all'interno della corte federiciana un'esaltazione delle scienze in quanto strumento di potere: la natura e le sue regole, al tempo, venivano considerate come primaria fonte d'ispirazione per ogni possibile modello di organizzazione politica. Per questa ragione la corte itinerante di Federico divenne contesto privilegiato in cui poter realizzare un fecondo interscambio di idee e conoscenze attraverso le frequenti dispute tra dotti di ogni estrazione culturale e disciplina; una rete di scambi ormai unanimemente riconosciuta come multidisciplinare e multilingue, nella quale si poteva spaziare da tematiche legate all'ordine del cosmo a problemi riguardanti le regole del corpo umano o l'ingegneria bellica, e dove un posto eminente era occupato dagli astrologi che l'imperatore riteneva indispensabili per cogliere i momenti propizi alle sue scelte strategiche.

La presenza di Federico è centrale, giacché il potere si fonda sul sapere del sovrano. È lui che interroga direttamente il maggior numero di dotti sulle questioni più disparate, organizzando veri e propri questionari mirati, è lui che organizza scientificamente i dati raccolti con un metodo applicato con successo anche all'arte della falconeria (da cui la compilazione del celebre *De arte venandi cum avibus*), è lui – ancora – che sovrintende alla composizione di opere enciclopediche e teoriche basate sull'esperienza dei suoi scienziati che riflettono la profonda ammirazione nei confronti delle arti pratiche.

In tutti questi trattati, dove costantemente sono sottolineati i rapporti tra la terra e il cielo, tra Dio e l'uomo, tra Caos e Armonia, emerge un profondo sentimento di urgenza e di necessità nella ricerca di un'armonia interna allo Stato. Tra questa febbrile ricerca ed il precipitare degli eventi funesti che travolsero la casata sveva molti vollero vedere una serie di "errori umani", di errate interpretazioni degli scienziati di corte che non seppero realizzare in tempo il progetto di dominio sulla Natura e sul Cosmo di cui era permeata tutta la mentalità medievale.

La scomparsa di Federico *sub flore* a Castel Fiorentino, nel 1250, sembrò dar ragione più agli oracoli che alle sperimentazioni scientifiche: Michele Scoto aveva avvertito spiegando che "la morte è un calice al quale sono costretti ad abbeverarsi tanto l'uomo di scienza quanto l'ignorante", ma aveva anche ammesso la possibilità che, proprio in virtù del suo sapere, Federico II avrebbe potuto evitare quell'esperienza. Con la morte dell'imperatore fallisce quindi il progetto di egemonia politica fondata sul "sovrano sapiente"; ma sopravvivono, fortunatamente per noi, la forza e la continuità di un ideale scientifico proteso al dominio della natura. Il vero fondamento di una scienza che si possa chiamare "moderna".

L'ARTE DI CACCIARE CON L'AUSILIO DEGLI UCCELLI

De arte venandi cum avibus è il titolo di un celeberrimo "manuale", organizzato come un vero e proprio trattato, sull'arte di cacciare con l'ausilio del falcone, attribuito tradizionalmente a Federico II, e considerato lo specchio fedele del suo interesse per la scienza. È composto da due sezioni ben distinte: la prima è un trattato di ornitologia, o meglio un testo descrittivo, accompagnato da uno straordinario campionario di immagini miniate, in cui sono presentate almeno un'ottantina di specie di uccelli non rapaci, tutti possibili prede dei falconi; le intuizioni e le osservazioni sul volo e sul loro comportamento risultano in molti casi sorprendentemente valide ancor oggi. La seconda parte è quella più nota, dedicata ai falconi e alle istruzioni per il loro addestramento ed addomesticamento; le illustrazioni che accompagnano il testo seguono il ritmo paziente e pacato dello svolgimento delle singole azioni, secondo le disposizioni impartite dall'imperatore ai falconieri su come ci si doveva comportare nel processo di assuefazione del falcone all'uomo.

Esistono diversi codici del *De arte venandi*, i più importanti dei quali sono il Codice di Manfredi (il più antico), conservato presso la Biblioteca Apostolica Vaticana e databile dopo il 1258, e il Codice di Bologna in 6 volumi, trascritto in epoca successiva. Il manoscritto originale è illustrato da preziose miniature e si ricollega probabilmente alle direttive dell'imperatore stesso, riordinate dal figlio Manfredi sulla base di suoi appunti ed indicazioni. È un documento di eccezionale importanza, non solo per la mole di dati e conoscenze che fornisce rispetto all'epoca in cui è stato concepito, ma soprattutto per comprendere sino in fondo la personalità poliedrica di Federico ed il suo proposito di mostrare "ea quae sunt sicut sunt", la realtà così come essa è, in tutte le sue forme, anche attraverso la passione per gli animali. È noto che tra gli interessi imperiali le scienze occuparono un posto di tutto rispetto: anche gli studi di zoologia furono per l'imperatore svevo motivo di curiosità, al punto di giungere a sperimentazioni dirette occupandosi dell'incubazione delle uova degli uccelli, della cura delle malattie, degli incroci tra le razze; si appassionò all'allevamento dei cavalli, impartendo al suo collaboratore Giordano Ruffo le direttive per la stesura di un trattato di cure mediche per gli stessi, forse il primo trattato di veterinaria in Europa; allevò colombi addestrandoli a portare messaggi, forse secondo una tecnica araba, polli, cani e, in quel di Malta, persino cammelli. Ma la stesura di un così complesso trattato mostra come egli approfondì soprattutto, servendosi di ogni strumento disponibile, il suo interesse per gli uccelli, che si collegava direttamente alla passione per la caccia. Una passione che gli costò cara, se pensiamo che nel 1248 i parmensi accerchiati dalle truppe imperiali approfittarono della sua assenza per razziare l'accampamento degli assedianti portandosi via, oltre al cospicuo tesoro di Stato, anche il manoscritto originale del *De arte venandi*, quello non ancora ufficiale e costituito da un insieme di fogli "volanti" riempiti di appunti. Fortunatamente per noi, Manfredi aveva partecipato attivamente alla stesura dell'opera e fu in grado di ricostruire fedelmente e divulgare il pensiero dell'augusto padre.

Federico in maestà e falconieri, dal De arte venandi cum avibus

TRA TERRA E CIELO:
IMMAGINI, SIMBOLI, NUMERI

Castel del Monte ha fatto sbizzarrire non poco sulle ragioni della sua stessa esistenza. A quanti non è mai bastato il fatto che potesse trattarsi di uno dei tanti castelli inseriti nel sistema svevo di controllo del territorio si è data man forte parlando di "fabbrica ideale e priva di scopi", quasi anticipatrice del concetto rinascimentale di architettura ideale; altri lo hanno giudicato un "bizzarro labirinto", privo di "qualsiasi credibile articolazione abitativa". Tuttavia occorre tener presente che, fosse pur vero che l'imperatore e la sua corte non soggiornarono mai nel castello, nulla ci dice che le intenzioni non fossero state diverse. Intendiamo dire cioè che è quasi impensabile preoccuparsi di progettare in maniera tanto accurata certi ambienti, dotandoli persino di efficacissimi servizi sicuramente non usuali all'epoca, sapendo in partenza di non utilizzarli mai.

La visita del castello ci dimostra invece come, anche dal punto di vista dei percorsi principali e di servizio, fosse stata progettata una gerarchia nelle funzioni dei singoli ambienti. Anche se non successe mai, certe sale dovevano essere adibite a camere da letto, certe altre a cucina o ritrovo, altre ancora dovevano essere state pensate come stanze di passaggio o di servizio.

Un altro orientamento ricorrente tiene conto della personalità di Federico e della sua passione per la falconeria, ereditata dal padre Enrico. In quest'ottica Castel del Monte sarebbe una delle residenze imperiali progettate in funzione della caccia con il falcone, passatempo preferito dai sovrani di ogni tempo, grazie anche alla suggestiva posizione geografica e alla bellezza del luogo, che le testimonianze dell'epoca e gli studi in materia ci presentano come ricchissimo di verde e di acque, molto simile ai luoghi ameni descritti nel famoso trattato *De arte venandi cum avibus*, attribuito allo stesso imperatore. Ma il minimo confronto con altri castelli di caccia, come per esempio quello di Gravina, il più sontuoso tra tutti, dimostra la discrepanza evidente con Castel del Monte, tanto per la mole quanto per lo sfarzo decorativo.

Poteva poi l'amore per la falconeria giustificare la progettazione di una forma così perfetta, fondata sulla ripetizione quasi ossessiva del tema dell'ottagono, solo perché fosse utilizzata come rifugio di caccia? Ecco allora che prende corpo la tesi che vede il castello come simbolo: un simbolo di stato, desunto da quella tradizione che vuole Gerusalemme come città ottagonale; un simbolo dell'idea imperiale, il segno della sovranità che già era stato espresso dalla basilica di San Vitale a Ravenna alla Cappella Palatina di Aquisgrana, dove il simbolico tema dell'ottagono risulta legato alla liturgia imperiale; un simbolo e una sintesi del sapere di quel tempo.

È su quest'ultimo aspetto simbolico che sono state costruite le ipotesi più affascinanti: si sa che nella complessa ed articolata personalità del sovrano trovavano spazio tutte le sollecitazioni culturali legate agli ambiti più disparati. La sua corte riuniva i migliori architetti, matematici, musici, letterati, astrologi del tempo. Lo slancio dato alla cultura universitaria, alla diffusione di antichi testi fatti espressamente tradurre, alle sperimentazioni in ogni campo del sapere, costituiscono solo una parte delle iniziative intraprese da Federico II al di fuori delle sue funzioni istituzionali. Per questi motivi si è avanzata l'ipotesi che Castel del Monte possa essere un capolavoro di architettura costruito secondo le misteriose leggi degli spazi siderali o, quanto meno, un vero e proprio trattato di matematica posto al servizio del più raffinato, e spesso oscuro, simbolismo esoterico. Senza affannarsi nel far quadrare i centimetri, poiché il castello è stato costruito in palmi napoletani, per la gioia di tutti gli appassionati del genere è stata verificata in Castel del Monte l'osservanza di certe costanti matematiche: le consonanze musicali dei "numeri sonori" di Severino Boezio (2, 3, 4, 6, 8, 9, 12); la sequenza dei "numeri

Il segno zodiacale del Leone, dal Liber astrologiae *di G. Zothorus Zaparus Fendulus*

magici" del matematico pisano Fibonacci, presente nell'armonia della natura e secondo la quale ogni numero è pari alla somma dei due precedenti (1, 1, 2, 3, 5, 8, 13, 21, 34, 55 ecc.); e infine la proporzione aurea (1,618), arcanamente presente nell'armonia del Creato, a partire dal corpo umano, e utilizzata sin dall'antichità nella costruzione di edifici di culto.

Ciò che scatena il massimo dell'entusiasmo è però da sempre la simbologia complessa e affascinante legata alla figura dell'ottagono: è la figura dei fonti battesimali (ed ecco la connessione con l'acqua che fa quadrare la proposta di chi ha voluto legare il cortile del castello all'idea di pozzo), ed anche il simbolo della risurrezione; evoca la vita eterna, che si raggiunge immergendo il neofita nei fonti battesimali stessi. Otto è il numero dell'equilibrio cosmico, della rosa dei venti, dei raggi della ruota; per chi ama trovare connessioni tra questi simboli e la struttura del castello, esso si troverebbe dunque a metà strada tra il quadrato e il cerchio, quindi tra terra e cielo. Da lì, il Paradiso è a un passo.

IL TEMPIO DEL SOLE

Per i cultori della tradizione esoterica e per tutti coloro che non hanno mai considerato primario e imprescindibile il ruolo di Castel del Monte all'interno di un sistema castellare organizzato per svolgere funzioni di controllo sul territorio, l'edificio costituirebbe una delle massime espressioni di simbolismo cosmico e quindi di implicazioni astronomiche, geografiche, matematiche e geometriche.

L'ipotesi è senza dubbio affascinante, anche se ad un'attenta verifica molti di questi "castelli in aria" sono destinati a franare senza appello. E tuttavia, la popolarità di Castel del Monte e il suo impatto sul grande pubblico devono molto alla divulgazione magico-esoterica e alle teorie fantasiose o quanto meno improbabili. Diciamoci la verità: il Medioevo fantastico, nebuloso e misterico piace molto. Per una volta ancora, lasciamoci andare... e ripercorriamo in sintesi le proposte di Aldo Tavolaro, il primo ed il più noto sostenitore di questa particolare lettura in chiave architettonico-astronomica e magico-misterica.

"Tutti gli spazi conclusi del castello (cortile, sale, recinzione esterna ottagonale, vasca del cortile) sono scanditi dal Sole, mediante ombre reali e teoriche, all'ingresso dell'astro nei segni zodiacali.

Le diagonali tracciate in pianta in corrispondenza del cortile danno origine ad un angolo di 47 gradi, pari a quello del cono della precessione degli equinozi e quindi doppio dell'angolo d'inclinazione dell'asse terrestre rispetto all'asse dell'eclittica. Sarebbe questa una chiara allegoria della Terra, perché è questa inclinazione dei suo asse a determinare l'avvicendarsi delle stagioni e i conseguenti ritmi della vita animale e vegetale.

La latitudine su cui sorge il castello ed il valore della culminazione del Sole all'equinozio sono racchiuse nel triangolo formato dall'altezza della parete sud del cortile, dalla larghezza del cortile stesso e dall'ipotenusa ideale che congiunge questi due elementi. Soltanto a tale latitudine i punti dell'orizzonte in cui sorge e tramonta il Sole alle date dei solstizi, congiunti idealmente tra loro, tracciano un rettangolo in rapporto aureo nel quale Castel del Monte si colloca al centro.

E soltanto a quella latitudine l'ombra di un bastone piantato verticalmente, rilevata un'ora prima e un'ora dopo mezzodì nei giorni degli equinozi, disegna un angolo di 45 gradi che, aperto al centro di una circonferenza, sottende una corda che corrisponde al lato dell'ottagono. E Castel del Monte è un ottagono.

Inoltre significativa è la presenza massiccia nel monumento della divina proporzione o rapporto aureo col relativo numero d'oro che ritroviamo, già prima di entrare, nel timpano del portale (un triangolo isoscele in cui i lati sono sezione aurea della base), nonché negli archi ciechi che affacciano dal piano superiore nel cortile, nelle sale trapezoidali dove il lato minore è sezione aurea di quello maggiore, ecc.

Tutte queste correlazioni col Cielo e con la Terra, nonché l'impiego del numero d'oro e della divina proporzione erano sempre presenti nei monumenti antichi che dovevano assolvere una funzione sacra o comunque misterica e Castel del Monte, che probabilmente doveva simboleggiare la fusione delle tre religioni monoteiste (cristiana, ebraica e musulmana) fondeva già nella sua struttura le leggi dell'universo: astronomia, matematica e geometria. Obbedendo perciò il castello ai rapporti dettati dal Sole e dalla matematica non poteva tener conto di un modulo di misura che fosse applicato in tutte le sue parti perché la progettazione non era a discrezione di un architetto, ma era soltanto

sviluppo armonico di premesse geometriche.

Tuttavia un modulo di misura iniziale c'è, anche se cede subito il passo ai dettati geometrici che fanno sbocciare il castello letteralmente come un fiore, e vedremo che è anche il modulo più proprio, il più coerente, il più nobile e, diciamolo pure, il più sacro. Osserviamo innanzi tutto come nasce il castello da questa elaborazione geometrica che, peraltro, coesiste con le cadenze astronomiche confermandoci che gli antichi costruttori conoscevano segreti che consentivano loro, nell'edificazione di monumenti di particolare significato, di armonizzare le leggi della matematica e della geometria con quelle naturali dell'astronomia e della geografia.

Tracciamo quattro rettangoli in rapporto aureo, cioè che abbiano il lato maggiore e quello minore nel rapporto di 1,618 (come dire che se dividiamo il lato più lungo per 1,618 otteniamo quello più corto) e disponiamoli in croce in modo da ottenere una croce greca ed una croce di S. Andrea sovrapposte tra loro. Ma immaginiamo di essere noi i costruttori del castello, i protomagistri del medio evo, e di trovarci sul cantiere dei lavori dove ora sorge Castel del Monte e di disporre del pianoro su cui

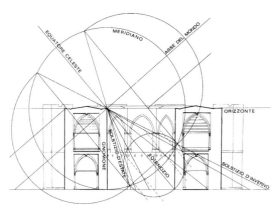

Analemma di Vitruvio sovrapposto alla sezione di Castel del Monte. Lo gnomone s'identifica con la parete Sud (trattandosi di una costruzione centrica qualsiasi parete del cortile può avere la medesima funzione) e le ombre proiettate coincidono — iniziando da giugno e terminando a dicembre — con il primo bordo della vasca immaginaria nella corte, con il sedile posto in essa, con secondo bordo, col perimetro del cortile, col perimetro maggiore delle sale a piano terra, con la circonferenza in cui è inscritto il castello comprese le torri e gli zoccoli e, infine, con la discussa recinzione ottagonale oggi demolita.

lavorare. Disegniamo quindi sul terreno i quattro rettangoli detti prima dando loro delle misure e precisamente m 22 per i lati corti e m 35,60 per quelli lunghi (il perché di queste misure lo scopriremo alla fine).

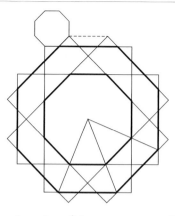

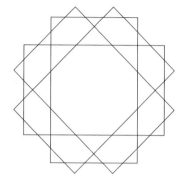

Noteremo subito che al centro si disegna un ottagono ed un secondo ottagono si traccia alla periferia. Questi due ottagoni saranno le pareti delle sale del castello. Ma non basta perché i triangoli isosceli, nel disegno evidenziati in nero, con le loro altezze determineranno lo spessore delle cortine, ossia dei muri esterni del castello e con la lunghezza dei cateti quella che deve essere la lunghezza del lato di ogni torre misurata alla base e cioè con gli zoccoli. E le torri dovranno necessariamente essere ottagonali perché l'impone l'angolo di 135° che si apre tra le coppie dei triangoli. Non è finita perché se dal centro della composizione conduciamo delle rette che passino per i punti in cui le coppie dei triangoli si congiungono, otteniamo il disegno trapezoidale delle sale.

I quattro rettangoli in rapporto aureo, disposti come nella figura sopra, tracciano due ottagoni, uno interno e uno esterno (in grassetto). Essi determinano la posizione delle pareti interne ed esterne delle sale. I triangoli isosceli che sporgono fuori dell'ottagono maggiore determinano con la loro altezza lo spessore delle cortine del castello e con la lunghezza dei cateti la misura dei lati delle torri ottagone. Infine una serie di rette condotte dal centro della figura e passanti per i punti di contatto dei triangoli accoppiati determinano la forma trapezoidale delle sale.

Appare chiaro che abbiamo fatto della geometria e che questa elaborazione possiamo realizzarla più grande o più piccola a seconda che più grandi o più piccoli siano i rettangoli in rapporto aureo che usiamo all'origine. Ma per ottenere Castel del Monte nelle dimensioni in cui lo vediamo ora abbiamo dovuto tracciare dei rettangoli con un lato di 22 m e l'altro di 35,60.

E siamo giunti alla soluzione del giallo. Quei

22 metri del lato minore del rettangolo che rappresenta la sezione aurea del lato maggiore e quindi l'essenza della divina proporzione tanto onorata dagli antichi, altro non sono che 40 cubiti sacri di cm 55 ciascuno, ossia la misura usata da Salomone per l'edificazione del Tempio di Gerusalemme.

Due perciò sono le cose che si impongono alla nostra riflessione: la prima è che il castello nel suo sviluppo geometrico non può tener conto di singole misure prestabilite per le singole parti, ma deve seguire un tracciato obbligato. La seconda è che dovendo dare necessariamente un valore alla matrice di partenza, nel nostro caso il lato minore dei rettangolo in rapporto aureo, si è scelto il cubito sacro di Salomone con tutte quelle significazioni esoteriche che ne discendono e son fin troppo ovvie per soffermarcisi. Ma perché quaranta?

Il numero 40 è particolarmente simbolico nel Vecchio e nel Nuovo Testamento e sta a significare l'aspettativa e la penitenza. Quaranta giorni durarono le piogge del diluvio Universale. Dopo che le piogge terminarono e le acque cominciarono a decrescere e l'arca si arrestò sul monte Ararat, Noè attese quaranta giorni prima di mandare fuori il corvo. Quaranta giorni trascorse Mosè sul monte Sinai quaranta giorni durò il digiuno d'Elia. Anche il digiuno di Gesù durò quaranta giorni e quaranta giorni di preavviso dette Giona alla città di Ninive prima della sua distruzione, peraltro scongiurata perché i niniviti trasformarono i quaranta giorni in digiuno e penitenza. Quaranta sono i giorni della quaresima e quaranta i giorni che tra-

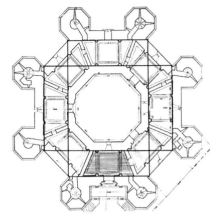

Rilievo di base del castello. Gli spigoli dei rettangoli in rapporto aureo coincidono con l'innesto delle cortine alle torri complete di zoccoli.

scorrono dalla Resurrezione all'Ascensione di Gesù. Anche Pitagora digiunò quaranta giorni, prima di morire nel tempio delle Muse a Metaponto, secondo una delle tante versioni della sua morte. Infine quaranta furono gli anni trascorsi nel deserto dagli Ebrei.

Appare chiaro che questo numero si lega all'attesa, alla penitenza, alla purificazione in vista di una conquista, del raggiungimento di una meta che esige delle prove e non si concede gratuitamente. Stando così le cose nel numero quaranta potrebbe anche essere racchiusa la risposta sulla funzione segreta di Castel del Monte tanto idoneo – così isolato – alla meditazione collettiva con tutte le sue sale circondate da sedili in pietra, senza cucine, forni, dispense, cantine, senza alcuna vera comodità all'infuori dei servizi igienici.

Se Castel del Monte era veramente destinato ad ospitare, come un grande pensatoio, i cavalieri della spiritualità, soli demiurghi tra l'immanente e il trascendente, il numero quaranta (la purificazione) era il solo numero deputato al tracciamento dei solco dal quale avrebbe preso corpo un altro numero, ripetuto e riecheggiato nell'architettura dei castello, il numero otto, l'infinito. Quando divenne impossibile continuare a sostenere per Castel del Monte la funzione militare, si ripiegò sul castello di caccia perché Federico II amava la caccia e per tale uso aveva già costruito altre dimore. Ma a parte la discutibile agibilità del manufatto per i motivi pratici che sono stati già molte volte ripetuti, riesce inspiegabile per una residenza di caccia tanta astronomia, tanta geometria, tanta matematica e tanto simbolismo cosmico.

Ora si aggiunge anche l'utilità di misura lineare adottata, il cubito sacro, che a sua volta ci risospinge verso quelle costruzioni a carattere iniziatico ed esoterico che si inserivano naturalmente nel tipo di cultura dell'epoca, nel fermenti filosofici e religiosi del momento. Inoltre era il tempo del grande Fibonacci, il matematico italiano, Il Leonardo da Pisa che aveva introdotto in Occidente i numeri indoarabi e discuteva con Federico II e gli scienziati della sua corte dei più astrusi problemi matematici. In questo quadro, arricchito dalla prepotente presenza araba nel campo delle scienze, ed alla luce delle meravigliose testimonianze tangibili che Castel del Monte ci offre, questo monumento già tanto ammirato, esige che oltre essere ammirato sia capito nella sua essenza e riproposto nel suo giusto valore e noi pugliesi che lo vantiamo nel nostro territorio abbiamo il dovere di presentarlo nel suo vero, profondo significato di libro di pietra che racchiude in sé le più raffinate conoscenze scientifiche del XIII secolo".

Una sola precisazione va fatta a proposito del cubito sacro. Essa è in realtà una misura lineare di fantasia, "inventata" nel 1865 da Charles Piazzi-Smyth, un discusso piramidologo scozzese, mai esistita o tanto meno utilizzata nell'antichità: infatti, "all'epoca della costruzione delle piramidi gli Egizi conoscevano da secoli il *cubito reale* corrispondente a cm 52,35 (in alcuni periodi cm 52,40); Piazzi-Smyth era perfettamente al corrente dell'esistenza del *cubito reale*, che gli architetti egizi usavano correntemente per le loro misurazioni e i loro calcoli, ma nel suo fanatismo biblico se ne liberò sbrigativamente qualificandolo *unità (di misura) idolatra e profana, inventata da Caino*" (F. Cimmino, *Storia delle piramidi,* Milano 1990, p. 29).

In che modo, allora, Federico II avrebbe potuto utilizzare il cubito sacro, la cui applicazione convenzionale è iniziata sei secoli dopo? Sappiamo invece che Castel del Monte fu costruito in palmi napoletani, una unità di misura finalmente coeva al monumento. Con questa precisazione viene meno il legame numerologico che fino ad oggi ha vincolato Castel del Monte alla piramide di Cheope, mentre il "libro di pietra" esige di essere letto con una consapevolezza ed una responsabilità che finalmente lo collochi nel *suo* tempo.

IL RIPOSO DEL GUERRIERO

L'imperatore morì a Castel Fiorentino il 13 dicembre 1250. Nella piccola città distante poche miglia da Lucera, nella *domus* imperiale scandita da spessi muri e robuste torri attrezzata per accogliere la corte, si avverava la profezia che tanti avevano diffuso e molti avevano ritenuto credibile: quella di una morte *sub flore*, in una città con il nome di fiore da cui probabilmente Federico avrebbe preferito tenersi alla larga. La salma, con indosso "una veste araba in seta con disegni esotici", fu trasportata in corteo funebre a Taranto e di lì, via mare, a Messina, destinata a concludere il suo viaggio a Palermo.

Con una missione scientifica senza precedenti tra il 1998 ed il 1999 si sono voluti indagare i suoi resti, custoditi all'interno della cattedrale di quella città in un'urna contenente anche altre due salme. La precedente ricognizione risale al 1781, quando la cattedrale venne ristrutturata e nella stessa occasione le tombe dei re (Ruggero II, Enrico VI, Costanza d'Altavilla e Costanza d'Aragona) vennero spostate dalla destra dell'altare alle prime due cappelle della zona destra dell'edificio. Lo storiografo di corte Rosario Gregorio racconta dell'ispezione della tomba di Federico II, riferendo che "la mummia di Federico fu trovata in ottime condizioni, con la corona in testa, il capo poggia-

La salma di Federico II all'apertura del sarcofago, incisione del 1781

to su un cuscino di cuoio, la spada al fianco, un pendente di ametista, smeraldi e perle al petto, fra le mani un globo pieno di terra, simbolo dell'impero".

Promotore dell'iniziativa è stato l'assessorato regionale siciliano ai Beni culturali, in collaborazione con l'Istituto Centrale del Restauro di Roma, il Centro regionale del Restauro, la Sovrintendenza ai Beni culturali di Palermo, la Curia Arcivescovile del capoluogo, docenti universitari italiani e tedeschi.

I risultati della campagna di studi e dei rilevamenti saranno utilizzati per redigere un progetto di restauro definitivo del sarcofago, arricchire le informazioni sull'età federiciana, sperimentare e mettere a punto una metodologia di intervento da utilizzare nello studio delle tombe antiche di tutto il mondo. L'esperimento sfrutta i dati già raccolti in seguito all'endoscopia del 1994 che hanno segnalato una situazione di degrado all'interno della tomba.

Sono stati compiuti una serie di microprelievi, i cui campioni verranno sottoposti a esami microbiologici e entomologici finalizzati allo studio del DNA di Federico II. È stata effettuata anche la microaspirazione delle polveri superficiali sui materiali tessili per comprendere il livello del deterioramento e il sistema di conservazione. A tutt'oggi, mentre non si conosco-

no ancora i risultati dell'estrazione ed amplificazione del DNA eventualmente presente nel campione di osso prelevato dalla mummia di Federico II, sono stati presentati i risultati di un'indagine condotta dal 1996 dal patologo Alfredo Salerno e dal Centro di Biologia Molecolare del Raggruppamento Investigazioni Scientifiche dell'Arma dei Carabinieri sugli altri due personaggi con lui sepolti. Già era noto infatti che, oltre a Federico II, nel sarcofago c'erano una donna e un uomo, Pietro III di Aragona, suo figlio, e forse Beatrice, sua nipote. Le prime indagini indicano che Pietro sarebbe morto di morte violenta, in seguito a sfondamento di cranio, mentre la donna avrebbe un'età compresa tra i 28 e i 30 anni. Il lavoro condotto finora non è stato semplice, anche a causa dell'inquinamento endogeno dei tre corpi, quasi miscelati tra loro dopo 700 anni di "convivenza".

Manico della spada con parte del pendaglio di Federigo II, incisione del 1781

CASTEL DEL MONTE
PATRIMONIO DELL'UMANITÀ

N el 1996, nel corso della XX Sessione tenutasi a Merida (Messico), Castel del Monte è entrato a far parte del patrimonio tutelato dall'UNESCO (United Nations Educational Scientific and Cultural Organization). La Commissione ha motivato la sua decisione basandosi su una serie di criteri culturali e considerando che si tratta di un "sito di valore universale eccezionale nella sua perfezione formale e nell'armoniosa fusione di elementi culturali provenienti dal Nord Europa, dal mondo orientale e dall'antichità classica. Castel del Monte è un capolavoro unico dell'architettura militare medievale, espressione del suo fondatore Federico II di Svevia".

I criteri che permettono a determinati siti di entrare a far parte del patrimonio dell'umanità tutelato dall'UNESCO vanno sempre visti in relazione l'uno con l'altro e considerati nel contesto delle categorie di beni individuate dall'art. 1 della Convenzione per la Tutela del Patrimonio Culturale e Naturale Mondiale. Castel del Monte, inteso come *monumento*, risponde ai requisiti di "opera architettonica avente valore universale eccezionale dal punto di vista della storia, dell'arte o della scienza", ed è stato valutato con i criteri culturali I, II e III (ne sarebbe bastato anche uno solo), ovvero: rappresenta un capolavoro di genio creativo umano; è testimonianza di uno scambio di apporti in un dato periodo o in un'area culturale determinata rispetto allo sviluppo dell'architettura o della tecnologia delle arti monumentali; è testimonianza unica o addirittura eccezionale di una tradizione culturale ovvero di una civiltà esistente o scomparsa.

LA BIBLIOTECA DEL NOME DELLA ROSA

*"**C**ome ci inerpicavamo per il sentiero scosceso che si snodava intorno al monte, vidi l'abbazia. Non mi stupirono di essa le mura che la cingevano da ogni lato, simili ad altre che vidi in tutto il mondo cristiano, ma la mole di quello che poi appresi essere l'Edificio. Era questa una costruzione ottagonale che a distanza appariva come un tetragono (figura perfettissima che esprime la saldezza e l'imprendibilità della Città di Dio), i cui lati meridionali si ergevano sul pianoro dell'abbazia, mentre quelli settentrionali sembravano crescere dalle falde stesse del monte, su cui s'innervavano a strapiombo. Dico che in certi punti, dal basso, sembrava che la roccia si prolungasse verso il cielo, senza soluzione di tinte e di materia, e diventasse ad un certo punto mastio e torrione* (opera di giganti che avessero gran familiarità e con la terra e col cielo). Tre ordini di finestre dicevano il ritmo trino della sua sopraelevazione, così che ciò che era fisicamente quadrato sulla terra, era spiritualmente triangolare nel cielo.*

Nell'appressarvisi maggiormente, si capiva che la forma quadrangolare generava, a ciascuno dei suoi angoli, un torrione eptagonale, di cui cinque lati si protendevano all'esterno – quattro dunque degli otto lati dell'ottagono maggiore generando quattro eptagoni minori, che all'esterno si manifestavano come pentagoni. E non è chi non veda l'ammirevole concordia di tanti numeri santi, ciascuno rivelante un sottilissimo senso spirituale. Otto il numero della perfezione d'ogni tetragono, quattro il numero dei vangeli, cinque il numero delle zone del

mondo, sette il numero dei doni dello Spirito Santo. Per la mole, e per la forma, l'Edificio mi apparve come più tardi avrei visto nel sud della penisola italiana Castel Ursino o Castel del Monte, ma per la posizione inaccessibile era di quelli più tremendo, e capace di generare timore nel viaggiatore che vi si avvicinasse a poco a poco. E fortuna che, essendo una limpidissima mattinata invernale, la costruzione non mi apparve quale la si vede nei giorni di tempesta. Non dirò comunque che essa suggerisse sentimenti di giocondità. Io ne trassi spavento, e una inquietudine sottile".

Chi non ricorda l'Edificio, la magica biblioteca-labirinto del monastero al centro del celebre romanzo di Umberto Eco *Il nome della rosa*, portato sul grande schermo dal regista francese Jean-Jacques Annaud nel 1986? Sul gigantesco set (il più vasto, in esterni, dai tempi di *Cleopatra*), creato da Dante Ferretti per un cast internazionale con un impegno finanziario di circa 32 milioni di dollari, la chiave di tutto il romanzo prese forme assai simili al nostro Castel del Monte.

Un labirinto, groviglio di scale piene di ragnatele e suggestivo contrappunto di luci-ombre, campi-controcampi, luogo di incubi e visioni deformate della realtà, intoccabile scrigno custode di segreti innominabili dove l'associazione di lettere e numeri porta alla verità e alla scoperta. Il luogo in cui è custodito il sapere che non può e non deve essere divulgato, dove i libri rappresentano una condanna mortale per coloro che, assetati di conoscenza, osano sfidare il limite. Dove il prezzo della salvezza è la distruzione della stessa biblioteca destinata ad essere sopraffatta dal fuoco e dall'oblio.

UN CENTESIMO DI EUROCELEBRITÀ

Soggetto: Castel del Monte
Descrizione: residenza pugliese di Federico II di Svevia
Diametro: 16,15 mm
Forma: tonda
Colore: rosso
Composizione: acciaio ricoperto di rame

È solo l'ultima delle carte d'identità di Castel del Monte; è proprio il caso di dirlo: quella nuova di zecca! Perché, come tutti sanno, l'immagine del castello è riprodotta sulla versione italiana del centesimo di euro, la nuova moneta unica grazie alla quale la storia dell'arte e della cultura sono entrate nelle tasche di tutti gli europei. Dalla romanità all'arte moderna, passando per il Medioevo e il Rinascimento, l'Italia esprime la sua creatività nel campo delle arti e delle lettere ma soprattutto, attraverso la moneta, propone anche un nuovo modo di comunicazione.
Il Colosseo, Castel del Monte, la Mole antonelliana per la storia dell'architettura; il particolare della *Nascita di Venere* di Sandro Botticelli, Dante Alighieri visto da Raffaello Sanzio e l'Uomo Vitruviano disegnato da Leonardo da Vinci per il disegno e la pittura; Marc'Aurelio e *Forme uniche nella continuità dello spazio* di U. Boccioni per la scultura: questi i simboli che appaiono sugli euro italiani. Un vero e proprio trattato di storia dell'arte, come aveva pronosticato Filippo Cavazzuti, l'allora sottosegretario al ministe-

ro del Tesoro e Bilancio e presidente della Commissione tecnico-artistica per la moneta istituita presso il Dicastero di via XX Settembre.
Il percorso per arrivare alla scelta delle monete italiane è stato molto articolato. Oltre alla costituzione di una Commissione tecnico-artistica per la scelta delle monete è stato realizzato un televoto coinvolgendo la trasmissione televisiva di Rai Uno, *Domenica In*. Queste fasi sono state precedute da una lunga attività di analisi, in sintonia con le direttive dell'Ecofin, e le scelte per le facce nazionali dell'euro sono state condotte basandosi su sondaggi d'opinione e coinvolgendo il pubblico. Dopo una prima fase di ricerca basata sui sondaggi che l'Abacus e la Directa hanno sviluppato per il Ministero del Tesoro e la Zecca dello Stato, è stato costruito un evento televisivo che potesse arrivare nella maggior parte delle famiglie italiane.
E l'icona di Castel del Monte continuerà a viaggiare nell'immaginario collettivo rafforzando ancora di più il suo carattere di patrimonio comune. Perché la moneta non ha solo un valore astratto di rappresentanza: con la scelta di questi simboli la commissione ha inteso sottolineare il valore del progresso umano. La moneta, nata per facilitare gli scambi, nei secoli è diventata occasione per i sovrani di manifestare il proprio potere; con l'euro si scrive un nuovo capitolo della sua storia e del suo valore sociale. Ogni paese rinuncia alla propria identità per un ideale più alto, un'identità allargata. Di cui anche Castel del Monte è protagonista.

CASTEL DEL MONTE IN BIBLIOTECA E IN LIBRERIA

1842-1900

❏ R. D'Urso, *Storia della città di Andria dalla sua origine sino al corrente anno 1841*, Napoli 1842

❏ C. Malpica, *Andria, la sua storia e Castel del Monte. Reminiscenze d'un viaggio nella Puglia*, in "Annali civili del Regno delle due Sicilie", 1845, vol. 37, pp. 25 ss.

❏ G.A. Lauria, *Il Castel del Monte in Terra di Bari*, Avellino 1861

❏ D. Salazaro, *Studi sui monumenti dell'Italia Meridionale dal IV al XIII secolo*, Napoli 1871

❏ D. Salazaro, *Notizie storiche sul palazzo di Federico II a Castel del Monte*, Napoli 1876

❏ F. Gregorovius, *Castel del Monte*, Leipzig 1880

❏ F. Gregorovius, *Castel del Monte, castello degli Hohenstaufen in Puglia*, in *Nelle Puglie*, Firenze 1882

❏ F. Sarlo, *Il Castel del Monte in Puglia e le riparazioni ora fatte*, in "Arte e Storia" IV, Firenze 1885

❏ G. Ceci, *Castel del Monte*, in "Bios a Trani", nr. unico del giornale "Bios", Napoli 1891

❏ E. Bernich, *Il Castel del Monte*, in "L'arte in Puglia", Bari 1895

❏ E. Bernich, G. Ceci, *L'arte in Puglia nel Medioevo e nel Rinascimento*, Bari 1895

❏ G. Ceci, *L'abbandono di Castel del Monte*, in "Il popolo tranese", III (20-9-1895)

❏ E. Merra, *Castel del Monte*, Trani 1895

❏ E. Bertaux, *I monumenti medievali della regione del Vulture*, in "Napoli Nobilissima" VI (1897)

❏ E. Bertaux, *Castel del Monte e gli architetti francesi dell'imperatore Federico II*, in "Rassegna Pugliese", XIV (1898)

❏ E. Rocchi, *Castel del Monte*, in "Arte" I, pp. 121-137

1901-1910

❏ A. Avena, *Monumenti dell'Italia Meridionale*, Roma 1902

❏ E. Bertaux, *L'art dans l'Italie meridionale*, Paris 1903

❏ E. Bernich, *Andria ed altre reminescenze sveve*, Andria-Terlizzi 1904

❏ R. Schoner, *Castel del Monte, ein Hohenstaufenschloss in Apulien*, in "Illustrierte Zeitung", CXX, Leipzig 1904

❏ A. Vinaccia, *Le finestre del-*

l'architettura medioevale in Puglia, in "Rassegna Tecnica Pugliese", XI (1910)

1911-1920

❏ L. Fulvio, *Castel del Monte*, in "Rassegna Tecnica Pugliese", XI (1912), f.8, pp. 139-142

❏ A. Vinaccia, *La pianta di Castel del Monte*, in "Rassegna Tecnica Pugliese", XI (1912)

❏ A. Vinaccia, *I monumenti medievali di Terra di Bari*, Bari 1915

❏ A. Casella, *Castel del Monte e le sue vicende*, in "Rivista Abruzzese", XXXI (1916), pp. 306-314

❏ V. Sgarra, *Castel del Monte villa romana. Nuove considerazioni*, Roma 1917

❏ A. Haseloff, *Die Bauten der Hohenstaufen in Unteritalien*, Leipzig 1920

1921-1940

❏ R. Napolitano, *Castel del Monte*, Andria 1921

❏ G. Bacile di Castiglione, *Castelli pugliesi*, Roma 1927

❏ M. Gervasio, *Castel del Monte*, Bari 1927

❏ P. Toesca, *Il Medioevo*, in *Storia dell'arte italiana*, II, Torino 1927

❏ G. Chierici, *Castel del Monte*, in "I monumenti ital. ril. raccolti a cura della R. Acc. d'It.", f.1

❏ B. Molajoli, *Una scultura frammentaria di Castel del Monte*, in "Bollettino d'Arte", XXVII (1934), pp. 120-125

❏ W. Körte, *Die künstlerischen Voraussetzungen des Castel del Monte*, in 14. Internationaler kunsthistorischer Kongress (Basel 1936), I, pp. 206-207

❏ C. Ceschi, *Gli ultimi restauri a Castel del Monte*, in "Japigia", IX (1938), f.I, pp. 3-22

❏ A. Quacquarelli, *Appunti storici su Castel del Monte*, Bari 1939

1941-1960

❏ G. Colella, *Toponomastica pugliese dalle origini alla fine del Medioevo*, Trani 1941

❏ S. Bottari, *Intorno alle origini dell'architettura*

sveva in Italia meridionale ed in Sicilia, in "Palladio", 1951

❏ P. Cafaro, *Federico II fu mai a Castel del Monte?*, in "Archivio Storico Pugliese", IV (1951), f.II, pp. 96-101

❏ U. Nebbia, *Castelli d'Italia*, Novara 1955

❏ C.A. Willemsen, *Castel del Monte, die Krone Apuliens*, Wiesbaden 1955

❏ W. Krönig, *Castel del Monte, der Bau Friedrichs II*, in "Kunstchronik", IX (1956), pp. 285-287

❏ R. Wagner-Rieger, *Die italienische Baukunst zu Beginn der Gotik*, Graz-Köln 1956

❏ P. Cafaro, *Castel del Monte*, Andria 1957

❏ C. Shearer, *The Renaissance of architecture in Southern Italy. A study of Frederick of Hohenstaufen and the Capua triumpher archway and towers*, Cambridge 1957

❏ B. Molajoli, *Guida di Castel del Monte*, Napoli 1958

❏ C.A. Willemsen, D. Odenthal, *Puglia*, Bari 1959

❏ G. Agnello, *L'architettura militare civile e religiosa*

nell'età sveva, in "Archivio Storico Pugliese", III (1960)

❏ G. Agnello, *Problemi e aspetti dell'architettura sveva*, in "Palladio", X (1960)

❏ P. Cafaro, *L'architetto di Castel del Monte*, in "Antiqua", IV (1960)

1961-1970

❏ G. Agnello, *L'architettura civile e religiosa in Sicilia nell'età sveva*, Roma 1961

❏ P. Cafaro, *La prima pagina nella storia di Andria*, Andria 1961

❏ H. Hahn, A. Renger-Patzsch, *Hohenstaufenburgen in Süditalien*, Ingelheim a/R 1961

❏ E. Merra, *Castel del Monte presso Andria*, Molfetta 1964

❏ P. Manzi, *Castel del Monte, opera di architettura militare*, in "Bollettino dell'Istituto di storia e di cultura dell'Arma del Genio", XXXI (1965), pp. 395-419, 557-575

❏ P. Cafaro, *Sette secoli di storia in Castel del Monte*, in "Rassegna Pugliese", X-XI (1966)

❏ F. Coarelli, U. Santucci, *L'arte nel Mezzogiorno*,

Roma 1966

❏ P. Cafaro, *Castel del Monte fu un'opera militare?*, in "Giustizia nuova", febbr. 1967

❏ M.L. Cristiani Testi, *Cultura architettonica federiciana*, in "Critica d'arte", XIV (1967), pp. 85-87

❏ G. Zander, *Un curioso marginale errore critico sull'architettura federiciana*, in "Palladio", n.s. XVIII (1968)

❏ C. Meckseper, *Castel del Monte, seine Voraussetzungen in der nordwesteuropäischen Baukunst*, in "Zeitschrift für Kunstgeschichte", XXXIII (1970), pp. 211-231

1971-1980

❏ P. Natella, P. Peduto, *Rocca Janula, Lucera, Castel del Monte. Un problema occidentale*, in "Palladio", XXII (1972), pp. 33-48

❏ A. Milella-Chartroux, *Il volto nascosto di Castel del Monte e la sua simbologia*, Bari 1973

❏ A. Milella-Chartroux, *La raffigurazione simbolica di Castel del Monte*, in Atti delle seconde Giornate

Federiciane (Oria, 16-17 ottobre 1971), Bari 1974, pp. 191-209

❏ A. Tavolaro, *Elementi di astronomia nell'architettura di Castel del Monte*, Bari 1974

❏ C.A. Willemsen, *Componenti della cultura federiciana nella genesi dei castelli svevi*, in *Castelli, torri ed opere fortificate in Puglia*, a cura di R. De Vita, Bari 1974, pp. 394-422

❏ A. Bruschi, G. Miarelli Mariani (a cura di), *Architettura sveva nell'Italia Meridionale, Repertorio dei castelli federiciani*, Catalogo della mostra, Firenze 1975

❏ A. Tavolaro, *Astronomia e architettura di Castel del Monte*, in "Castellum", 18 (1976), pp. 97-106

❏ V. Maurogiovanni, *Castelli di Puglia* [RAI, Sede regionale della Puglia, Testi e Documenti, 2], Bari 1977, pp. 31-49

❏ L. Cassanelli, *Scheda* in *I castelli. Architettura e difesa del territorio tra Medioevo e Rinascimento*, a cura di P. Maroni, F.P. Fiore, G. Muratore e E. Valeriani, Novara 1978, pp. 440-442

❑ G.B. DE TOMMASI, *Cento anni di restauri a Castel del Monte*, in "Continuità. Rassegna Tecnica Pugliese", 12 (1978)

❑ W. KRÖNIG, *Castel del Monte, Frédéric II et l'architecture française*, in *Aggiornamento all'opera di Emile Bertaux. L'art dans l'Italie méridionale*, sotto la direzione di A. Prandi, Roma 1978, pp. 929-951

❑ P. PETRAROLO, *Castel del Monte*, Andria 1979

❑ C.A. WILLEMSEN, *I castelli di Federico II nell'Italia meridionale*, Napoli 1979 (titolo originale: *Die Bauten Kaiser Friedrichs II. in Süditalien*, Stuttgart 1977), pp. 38, 41, 43, 47-52

❑ A. CADEI, *Fossanova e Castel del Monte*, in *Federico II e l'arte del Duecento italiano*, Atti della III Settimana di Studi di Storia dell'Arte medievale dell'Università di Roma (15-20 maggio 1978), a cura di A.M. Romanini, Galatina 1980, I, pp. 191-215

❑ A. THIERY, *Federico II e le scienze. Problemi di metodo per la lettura dell'arte federiciana*, in *Federico II e l'arte del Duecento italiano*, Atti della III settimana di studi di

storia dell'arte medievale dell'Università di Roma (15-20 maggio 1978), a cura di A.M. Romanini, II, Galatina 1980, pp. 277-299

1981-1990

❑ AUTORI VARI, *Castel del Monte*, a cura di G. Saponaro, Bari 1981

❑ G.B. DE TOMMASI, *I restauri tra leggenda e realtà*, in *Castel del Monte*, a cura di G. Saponaro, Bari 1981, pp. 101-145

❑ G. MUSCA, *Castel del Monte. Il reale e l'immaginario*, in *Castel del Monte*, a cura di G. Saponaro, Bari 1981, pp. 25-62 (ora in *Castel del Monte. Un castello medievale*, a cura di R. Licinio, Bari 2002, pp. 3-53)

❑ P. PETRAROLO, *Castel del Monte*, Andria 1981

❑ A. TAVOLARO, *Una stella sulla Murgia*, in *Castel del Monte*, a cura di G. Saponaro, Bari 1981, pp. 75-98

❑ M.L. TROCCOLI VERARDI, *Un libro di pietra*, in *Castel del Monte*, a cura di G. Saponaro, Bari 1981, pp. 65-72

Restauri in Puglia 1971-1983, vol. II, Fasano 1983, pp. 20-33

❑ H. GÖTZE, *Castel del Monte. Gestalt und Symbol der Architektur Friedrichs II.*, München 1984 (trad. it.: *Castel del Monte: forma e simbologia dell'architettura di Federico*, Milano 1988)

❑ C.A. WILLEMSEN, *Castel del Monte. Il monumento più perfetto dell'imperatore Federico II*, Bari 1984

❑ A. TAVOLARO, *Castel del Monte e il Santo Graal*, Bari 1988

❑ A. TAVOLARO, *Castel del Monte e il segreto dei Templari*, Bari 1988

❑ N.R. VLORA, G. MONGELLI, M.S. RESTA, *Il segreto di Federico II (oltre il castello, oltre il monte)*, Bari 1988

1991

❑ E. BERCKENHAGEN, *Haghia Sophia und Castel del Monte*, Sonderdruck aus *Musagetes. Festschrift für Wolfram Prinz*, herausgegeben von R.G. Kecks, Berlin 1991, pp. 79-92

❑ S. MOLA (a cura di), *Castel del Monte*, Bari 1991

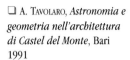

❑ A. Tavolaro, *Astronomia e geometria nell'architettura di Castel del Monte*, Bari 1991

1992

❑ D. Leistikow, *Zum Mandat Kaiser Friedrich II von 1240 für Castel del Monte, in Bericht über die 36. Tagung für Ausgrabungswissenschaft und Bauforschung*, 1992, pp. 34-38

1993

❑ D. Leistikow, *Il mandato del 1240 dell'imperatore Federico II per Castel del Monte*, in P. Petrarolo, A. Haseloff, D. Leistikow, *Federico II. Le tombe delle imperatrici sveve. Castel del Monte*, Andria 1993, pp. 33-42

❑ P. Petrarolo, A. Haseloff, D. Leistikow, *Federico II. Le tombe delle imperatrici sveve. Castel del Monte*, Andria 1993

1994

❑ W. Krönig, *Castel del Monte, der Bau Friedrichs II*, in *Intellectual Life at the Court of Frederick II Hohenstaufen*, a cura di W. Tronzo [Center for Advanced Studies in the Visual Arts. Symposium Papers XXIV], Washington 1994, pp. 91-107

❑ D. Leistikow, *Zum Mandat Kaiser Friedrich II von 1240 für Castel del Monte*, in "Deutsches Archiv für Erforschung des Mittelalters", 50 (1994), pp. 200 ss.

❑ S. Mola, *Itinerario federiciano in Puglia. Sulle tracce dell'imperatore*, Bari 1994, pp. 178-186

1995

❑ V. Ascani, *Castel del Monte*, in *Federico II e l'Italia. Percorsi, Luoghi, Segni e Strumenti*, catalogo della mostra (Roma, 22 dicembre 1995-30 aprile 1996), Roma 1995, sez. III, *I castelli, i palazzi, le città nuove* (a cura di A. Cadei), p. 214

❑ M.S. Calò Mariani, *Castel del Monte. La veste ornamentale*, in *Federico II Immagine e potere*, catalogo della mostra, a cura di M.S. Calò Mariani e R. Cassano, Venezia 1995, pp. 305-311

❑ L. Capaldo, *Contributo per una lettura simbolica di Castel del Monte*, in "Napoli Nobilissima", 34 (1995) 1-2, pp. 203-208

❑ *Castel del Monte*, a cura di R. Giordano, in "I castelli d'Italia e i più grandi d'Europa", fasc. n. 3 (1995)

❑ M. Cristallo, *Nei castelli di Puglia*, Bari 1995 (nuova ed. riveduta e corretta, 2000), pp. 129-139

❑ G.B. De Tommasi, *Castel del Monte. I restauri e l'immagine*, in *Federico II Immagine e potere*, catalogo della mostra, a cura di M.S. Calò Mariani e R. Cassano, Venezia 1995, pp. 313-317

❑ D. Sack, *Castel del Monte e l'Oriente*, in *Federico II Immagine e potere*, catalogo della mostra, a cura di M.S. Calò Mariani e R. Cassano, Venezia 1995, pp. 295-303

❑ W. Schirmer, *Castel del Monte: osservazioni sull'edificio*, in *Federico II Immagine e potere*, catalogo della mostra, a cura di M.S. Calò Mariani e R. Cassano, Venezia 1995, pp. 285-293

❑ N.R. Vlora, G. Mongelli, *Dalla valle del Nilo a Federico II di Svevia*, Bari 1995

1996

❑ H. Götze, *Castel del Monte: Entwurf und Ausführung = Castel del Monte: design and execution*, in "Daidalos", 59 (1996), pp. 52-69

❑ H. Götze, *Friedrich II and the love of geometry*, in *Nexus*, a cura di K. Williams [Collana "Gli studi", 2], 1996, pp. 67-79

❑ F. Huber, *Jesi und Bethlehem, Castel del Monte und Jerusalem*, in *Kunst im Reich Kaiser Friedrichs II. von Hohenstaufen*, Akten des Internationalen Kolloquiums (Rheinisches Landesmuseum Bonn, 2. bis 4. Dezember 1994), a cura di K. Kappel e D. Kemper, München 1996, pp. 45-51

❑ W. Schirmer, D. Sack, *Castel del Monte*, in *Kunst im Reich Kaiser Friedrichs II. von Hohenstaufen*, Akten des Internationalen Kolloquiums (Rheinisches Landesmuseum Bonn, 2. bis 4. Dezember 1994), a cura di K. Kappel e D. Kemper, München 1996, pp. 35-44

1997

❑ L. Capaldo, *Castel del Monte und Friedrich II. von Hohenstaufen, eine untrennbare Einheit*, in *Kunst im Reich Kaiser Friedrichs II. von Hohenstaufen*, Akten des zweiten Internationalen Kolloquiums zu Kunst und Geschichte der Stauferzeit (Rheinisches Landesmuseum Bonn, 8. bis 10. Dezember 1995), a cura di A. Knaak, München 1997, pp. 197-210

❑ *Itinerari federiciani in Puglia. Viaggio nei castelli e nelle dimore di Federico II di Svevia*, a cura di C.D. Fonseca, Bari 1997, pp. 161-165

❑ G.L. Mellini, *Federiciana, 7*, in "Labyrinthos", 15-16 (1997), pp. 3-46

❑ M. Pafundi, *Il portale di Castel del Monte ad Andria (Bari)*, in "I beni culturali", 5 (1997), pp. 25-32

❑ N. Reveyron, *Le portail frédéricien "à l'antique": les antécédents rhéno-rhodaniens des tendances romanisantes*, in *Kunst im Reich Kaiser Friedrichs II. von Hohenstaufen*, Akten des zweiten Internationalen Kolloquiums zu Kunst und Geschichte der Stauferzeit (Rheinisches Landesmuseum Bonn, 8. bis 10. Dezember 1995), a cura di A. Knaak, München 1997, pp. 115-129

❑ D. Sack, *Castel del Monte: Architektur im Spannungsfeld zwischen Orient und Okzident*, in *Kunst im Reich Kaiser Friedrichs II. von Hohenstaufen*, Akten des zweiten Internationalen Kolloquiums zu Kunst und Geschichte der Stauferzeit (Rheinisches Landesmuseum Bonn, 8. bis 10. Dezember 1995), a cura di A. Knaak, München 1997, pp. 144-145

❑ G. Tattolo, *Castel del Monte. La leggenda, il mistero*, Fasano 1997

❑ M. Tocci, *L'inserimento di Castel del Monte nell'elenco del patrimonio mondiale Unesco*, in "BiaS. Bollettino di informazione dell'attività della Soprintendenza", 1 (1997), pp. 81-83

1998

❑ G.B. De Tommasi, *Il restauro delle pietre per un "museo" di pietra*, in *Castra ipsa possunt et debent reparari: indagini conoscitive e metodologie di restauro delle strutture castellane normanno-sveve*, Atti del convegno internazionale di studio promosso dall'Istituto

Internazionale di Studi Federiciani, Consiglio Nazionale delle Ricerche (Castello di Lagopesole, 16-19 ottobre 1997), a cura di C.D. Fonseca, Roma 1998, pp. 687-702

❏ S. LORUSSO, M.E. PIFERI, F. PANDIMIGLIO, *Le strutture castellane normanno-sveve: valutazione del degrado di origine fisico-chimica*, in *Castra ipsa possunt et debent reparari: indagini conoscitive e metodologie di restauro delle strutture castellane normanno-sveve*, Atti del convegno internazionale di studio promosso dall'Istituto Internazionale di Studi Federiciani, Consiglio Nazionale delle Ricerche (Castello di Lagopesole, 16-19 ottobre 1997), a cura di C.D. Fonseca, Roma 1998, pp. 473-495

❏ P. PETRAROLO, *L'arte gotico-cistercense in Castel del Monte*, in *Relazioni e dibattiti sull'opera e la personalità di Federico II di Svevia*, Società di Storia Patria per la Puglia, Bari 1998, pp. 67-78

❏ W. SCHIRMER, W. ZICK, *Castel del Monte: neue Forschungen zur Architektur Kaiser Friedrichs II.; zweiter Vorbericht*, in "Architectura", 28 (1998), pp. 1-36

❏ A. TAVOLARO, *Castel del Monte. Scienza e mistero in Puglia*, Bari 1998

1999

❏ A. ANTONOW, *Castel del Monte: ein spätstaufisches Kunst- und Staatsbauwerk*, in *Architektur-Struktur-Symbol*, a cura di M. KOZOK, 1999, pp. 211-238

❏ G.B. DE TOMMASI, *Castel del Monte: i restauri*, in *Castelli e cattedrali a cent'anni dall'Esposizione Nazionale di Torino*, catalogo della mostra, a cura di C. Gelao e G.M. Jacobitti, Bari 1999, pp. 427-429

2000

❏ F. CARDINI, *Castel del Monte*, Bologna 2000

❏ P. RESCIO, *Indagine archeologica su Castel del Monte: recenti acquisizioni sulle tecniche costruttive*, in "Rivista cistercense", 17 (2000), pp. 81-100

❏ M. SALVATORI, *Osservazioni metrologiche ed altre note su Castel del Monte*, in *Cultura artistica, città e architettura*

nell'età federiciana, Atti del Convegno di studi (Reggia di Caserta, 30 novembre-1 dicembre 1995), a cura di A. Gambardella, Roma 2000, pp. 367-375

❏ W. SCHIRMER, G. HELL, *Castel del Monte. Forschungsergebnisse der Jahre 1990 bis 1996*, Mainz 2000

2001

❏ R. LICINIO (a cura di), *Castel del Monte e il sistema castellare nella Puglia di Federico II*, Bari 2001

2002

❏ R. LICINIO (a cura di), *Castel del Monte. Un castello medievale*, Bari 2002

FONTI DELLE ILLUSTRAZIONI

p. 10
Federico in maestà (part. dell'illustrazione di p. 76), dal *De arte venandi cum avibus*, c. 1 *v* (Roma, Biblioteca Apostolica Vaticana, ms. lat. 1071)

p. 15
Falconieri, dal *De arte venandi cum avibus* (Roma, Biblioteca Apostolica Vaticana, ms. lat. 1071)

pp. 26-27
Castel del Monte, incisione di Lemaitre su disegno di V. Baltard, tratta da J.-L.-A. Huillard-Bréholles, *Recherches sur les monuments et l'histoire des Normands et la maison de Souabe dans l'Italie méridionale*, Paris 1844

p. 49
La dimora dei falconi, disegno acquerellato ispirato al *De arte venandi cum avibus*, da *Die Falkenjagd. Bilder aus dem Falkenbuch Kaisers Friedrichs II*, Leipzig 1943

p. 50
Le autorità temporali e le autorità spirituali, miniatura su pergamena, frammento di rotolo di Exultet databile al terzo decennio del XIII secolo (Salerno, Museo Diocesano)

p. 52
Nascita di Federico a Iesi, dalla *Cronica figurata* di G. Villani, seconda metà del XIV secolo (Roma,

Biblioteca Apostolica Vaticana, ms. Chigi L. VIII.296)

p. 53
L'imperatrice Costanza, in viaggio per la Sicilia, affida il neonato Federico alla moglie di Corrado di Urslingen, dal *Liber ad honorem Augusti* di Pietro da Eboli, 1195-1196 (Berna, Burgerbibliothek, cod. 120 II, c. 138r)

p. 55
Il matrimonio tra Federico II e Iolanda di Brienne, dalla *Cronica figurata* di G. Villani, seconda metà del XIV secolo (Roma, Biblioteca Apostolica Vaticana, ms. Chigi L. VIII.296)

p. 57
Il *palatium* federiciano di Lucera, incisione da un disegno di J. Desprez, tratta da J.-C. Richard abbé de Saint-Non, *Voyage pittoresque ou description du royaume de Naples et de Sicile*, Paris 1781-1786

p. 72
La Porta di Capua (ipotesi ricostruttiva), disegno a penna e matita di A. Mariano, 1928, sulla base di un disegno di F. di Giorgio Martini (Capua, Museo Provinciale Campano)

p. 73
Constitutiones regum Regni utriusque Siciliae…, frontespizio dell'edizione Napoli 1786 (rist. anast. Messina 1992)

p. 75
Falconiere a cavallo, dal *De arte*

venandi cum avibus (Roma, Biblioteca Apostolica Vaticana, ms. lat. 1071)

p. 76
Federico in maestà e falconieri, dal *De arte venandi cum avibus*, c. 1 *v* (Roma, Biblioteca Apostolica Vaticana, ms. lat. 1071)

p. 78
Il segno zodiacale del Leone, miniatura su pergamena dal *Liber astrologiae* di G. Zothorus Zaparus Fendulus, secondo quarto del XIII secolo (Paris, Bibliothèque Nationale, ms. lat. 7330)

p. 80
Disegno già pubblicato in A. Tavolaro, *Una stella sulla Murgia*, in *Castel del Monte*, a cura di G. Saponaro, Mario Adda Editore, Bari 1981, pp. 75-98

p. 82
Disegno già pubblicato in A. Tavolaro, *Una stella sulla Murgia*, in *Castel del Monte*, a cura di G. Saponaro, Mario Adda Editore, Bari 1981, pp. 75-98

p. 84
La salma di Federico II all'apertura del sarcofago nel 1781, incisione tratta da F. Daniele, *I regali sepolcri del Duomo di Palermo riconosciuti e illustrati*, Napoli 1784

p. 85
Manico della spada con parte del pendaglio di Federigo II, incisione tratta da F. Daniele, *I regali sepolcri del Duomo di Palermo riconosciuti e illustrati*, Napoli 1784